なんとなく投資用マンションを所有している君へ

マンション投資IQ アップの法則

株式会社 TOCHU 代表取締役社長
伊藤幸弘

はじめに

　不動産投資の中でも、とくに「ワンルームマンション」に投資している人の多くは、残念ながら"失敗"しています。

　この場合の失敗とは、つまり投資として成立していないということです。

　たとえ物件を購入でき、所有していたとしても、収益がきちんとプラスになっていなければ不動産投資のあるべき姿とは言えません。

　そのことを理解していないと、いわば「失敗の状態」をズルズルと引きずってしまうこととなるのです。

　そもそも不動産投資とは、資産価値のある物件（マンションやアパートなどの不動産）を購入し、それを賃貸に出すことによって収益を得ていくものとなります。

　その点、物件のローン返済（元金＋金利その他）と家賃収入のバランスを考慮し、できるだけプラスになる物件に投資しなければなりません。

　一般的な事業と同じです。

　いくら良い商品を仕入れて販売しても、売価が仕入れ値を上回らなければ利益は得られず、ビジネスとして成立しません。事業としては失敗

となります。

それは、不動産投資においても変わらないのです。

しかし、とくにワンルームマンションの場合、物件価格と家賃収入のバランスを保つのが難しい傾向にあります。そのため「ローン返済 ＞ 家賃収入」となるケースが多いのです。

その結果、投資としては"失敗"の状態となってしまいます。

それにもかかわらず、ワンルームマンションに投資する人は後を絶ちません。しかもその大半は、よく考えずに投資しています。

その理由は本文でもふれていますが、とくに重要なのは、投資家（購入者）が不動産投資についてしっかりと勉強していないためです。

不動産投資では、よく「不労所得」という言葉が使われます。要するに、働かなくても収入（所得）が得られている状態のことです。

あるいはワンルームマンションの場合だと、「節税」や「保険代わり」などの文言もよく使われています。

そのような甘い言葉に惑わされて、「買えるなら買ってしまおう」と安易に考える人が非常に多いのです。

ただし、これらはあくまでも、物件を売りさばくためのセールストークでしかありません。

その裏にある実態を知らなければ、結果的に、損をするのは投資家側となってしまいます。

では、どうすればいいのでしょうか？

そこで本書では、ワンルームマンションを取り巻く投資家の状況をわ

かりやすく、ストーリー仕立てで紹介しています。

　すでに物件を購入している方はもちろん、これから購入を予定している方も、まずは本書で不動産投資の基礎知識を身につけていただければと思います。

　その上で、具体的にどのような行動をとっていけばいいのかを、ともに考えていきましょう。

　本書を通じて、現状を改善し、不動産投資に成功する人が一人でも増えたとしたら、著者として望外の幸せです。

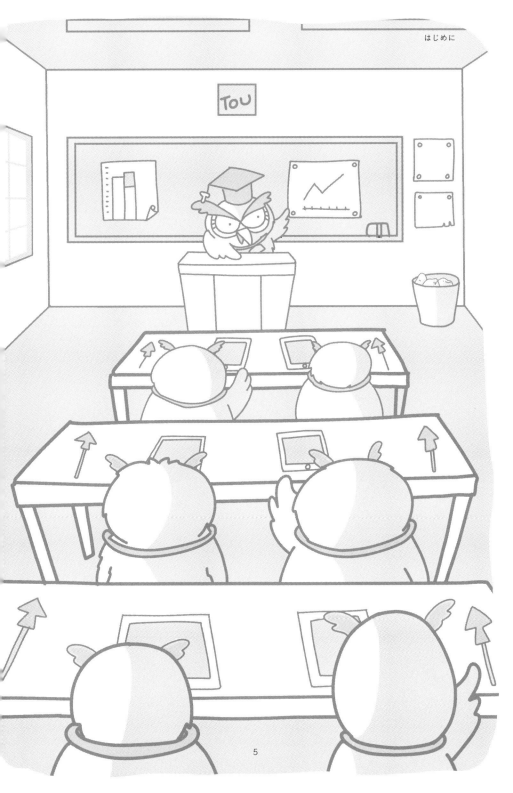

マンション投資 I Q アップの法則　目次

第3章　ワンルームマンション投資のカラクリと業者の手口を知ろう！

第4章　ワンルームマンション投資は勉強が9割

第5章　解決策① 物件の状況を改善させよう！

第6章　解決策② 物件の売却を検討しよう！

プロローグ

出会い

プロローグ　出会い

　ぼくがワンルームマンションを買ったのは、今から5年前のことだった。

　会社の同僚から「少しは将来のこと考えてる？」と言われ、ぼくは咄嗟に「そんな暇あるわけないだろ」と激務の毎日を肯定してしまった。

　事実、朝から晩まで仕事をしている。そのせいかわからないけど、当時、付き合っていた幼馴染のサオリにもフラれてしまい、ぼくは益々、仕事に打ち込むことになった。

　会社の業績は悪くない。取り扱っている電子部品が国内外で支持されていることから、社内はイケイケドンドンで「とにかく注文をとってこい！」という雰囲気。

　それに、勢いのいい若手も次々に入社してくる。給料は今も悪くない。けど、貰えるならもっとほしい。

　やるしかない……。

　だから忙しいのは仕方ないんだと、どこかで自分を納得させようとしていた。

「だったら、手間のかからない不動産投資をはじめてみないか？」

「不動産投資？」

「ああ。オススメはワンルームマンションだよ」

　この忙しいのに投資のことなんか考えられるか……。それが率直な感想だった。

　ただでさえ、早朝に出勤して深夜に帰宅。土日はひたすら眠るだけ。その休みすら返上することもあるのだから。

　けれど、よくよく話を聞いてみると「お前はただ決断すればいい。あとは業者がやってくれるよ」とその同僚は言う。

　ぼくはまだ、半信半疑だった。

　それでも、紹介された業者に会うことにした。自分を変えたかったから。今の暮らしに変化をもたらしたかったから……。

　日曜日。

　寝不足の身体をひきずるようにして案内された喫茶店に行くと、現れたのは高級スーツに身を固めた営業マンだった。

　まだ20代くらいだろうか。スラリとした体型と柔らかい物腰。きらめく腕時計とカフスボタンが目立つ。いかにもやり手といった感じだった。

　彼は言った。

「忙しい方でも無理なくはじめられますよ」

「あなたぐらいの年齢と収入の方は、たくさん持ってますよ」

「節税になります」

「保険代わりにもなります」

「とくに大変なことはありません。ぜひ、私たちにお任せください」

　疑う余地はなかった。

　ぼくは、それからわずか数年の間に、2戸のワンルームマンションを購

入した。それで未来が変わるのだと思っていた。

　たしかに物件は赤字を出している。けれど、それも少しの辛抱だ。ローンを払い終えてしまえば、自分の資産になる。

　そうなんだけど……。

　この違和感はなんだろう。どうして不安が消えないのだろう。生活は何も変わらない。5年経った今も、ぼくは相変わらず何かに追われるように日々を過ごしている。

　これでいいんだ。余計なことは考えちゃダメだ。検討なんかしなくていい、業者に任せていればいいんだから……。

　物件は塩漬けのままだった。

　今日も帰宅は終電。

　駅を出て、人通りがまばらになった商店街を歩いていると、また「このままでいいのだろうか……」と思えてくる。

　ぼくは変わりたかった。変えてくれる人がいれば、そこにすがりたいと思った。でも、これで本当に良かったのだろうか……。

　そうしてウジウジと考え続け、疲労と煩悶とで視界はぼやけていた。だからそのとき、ポケットの財布が落ちたことに気付けなかった。

　そして、その財布を拾ったのが、世にも奇妙なアイツだったことも。

第**1**章

損失を出し続けている
現状を知ろう！

不思議な「フクロウ」がやってきた

　自宅アパートのドアをあけると、部屋の中のこもった空気が全身を包み込んだ。なまぬるい風……。

　暗がりの中、すぐそばの足元には、インターネット通販で購入したいくつものダンボールがあけられないまま散乱していた。

　ドアを閉じる。

　そのまま電気をつけずに、１DKの部屋を呆然と眺めてみる……。

　相変わらず散らかっていた。ここのところロクに掃除もしていない。奥さんでもいればいいのだが、仕事に追われるだけのぼくに振り向いてくれる女性はいない。

　婚活は３か月でやめた。

　そのあいだも、脳裏をよぎったのは幼馴染のサオリのことだった。

　彼女は、ぼくが小学生の頃からいつもそばにいてくれた人だった。けれど、大人になったサオリが選んだのは別の男だった……。

　ガサガサッ

　そのとき、部屋の奥で物音がした。

　しかしぼくは、それを確かめる気力もなく「どうせ気のせいだろう」と考えた。そうして狭い玄関の薄汚れたドアによりかかりながら、幼い笑顔を切ない気持ちで思い出していた。

「どこで間違ったのだろう……」

将来のことを考えていなかったわけではない。

仕事に追われながらも、勧められるがままに不動産投資をはじめて、とりあえず物件を保有している。忙しすぎてどのような状態になっているのかはわからない。少し前に聞いた話だと、わずかに赤字が出ているようだった。

「そんなことはどうでもいい。それよりも……」

「……よくないよ……」

「えっ！」

ぼくは、声がする方を見た。暗くてよくわからなかったが、奥の部屋で何かが飛んでいるような音がする。羽の音……？　いま、喋ったのは、こいつだろうか。

「そこにいるのは誰だ！」

「……」

やわらかく浮遊するその生き物は、ふわふわと漂いながら、ゆっくりと移動して器用に蛍光灯のひ

もを引いた。白い光に照らされて表れたのは、こぶりなスイカぐらいのサイズの、フクロウだった。

　焦げ茶色をベースにした複雑な模様がついたそれは、ちゃぶ台の上に、音もなく降りた。そうして羽を広げて、片方の手を手前に動かした。それは「こっちに来い」と言っているようだった。

 (タカシ) なんだお前！　人ん家に勝手に入りやがって……。出てけ！

(フクロウ) ……これを。

　フクロウの口元には、見慣れた財布があった。その二つ折りの財布は、折れ目の部分がほつれていて、色が剥げていた。まぎれもなく、ぼくの財布だった。でも、どうしてこの鳥が持っているのだろう？

　それ、ぼくの財布！

　そうさ。君が落としたんだよ。さっき、公園のところでね。

　ぼくは、恐る恐るフクロウに近づきながら、尖ったくちばしから財布を取った。外側に変化がないことを確かめてから、中を見る。その中には、落とす前と同じく1万円が入っていた。カード類もすべて無事だった。

　よかった……。

　安堵してその場に座り込んでしまったぼくは、そばにいたフクロウのことを少し忘れた。深くため息をついてから、財布をポケットにしまい、それからあることに気がついた。

　「どうしてフクロウが喋るんだ」だろ？

　なぜそれを……？

　そのフクロウは、ぼくの心を読み取ったかのように、そう言った。そうして表情を変えないまま、大きな二つの瞳をぼくに向けて、目をそらすことなくこう続けた。

　わかるよ。みんな最初はそう思う。

　みんな……？

🦉　そうさ。……いや、そんなことはどうでもいい。それよりも君、財布を落としたことに気づいていなかっただろう？

　🦉　……うん。

　🦉　じゃあ、自分が損をしていたことにも気づいてなかったというわけだ。

　フクロウはそう言うと、硬そうなくちばしを少しゆがませた。ニヤけているようにも見えた。ぼくは少し腹が立ったが、もしこの生き物が財布を拾ってくれなかったことを考えて、わずかに身震いした。

　😐　それがどうしたって言うんだよ。……つーか鳥が喋るな。

　🦉　私はただの鳥ではない。いずれわかる。

　😐　ただの鳥じゃない？　じゃあ、なんなんだよ。宇宙人だとでも言うのか？

　🦉　私のことよりも、自分のテイタラクに気づいたらどうかね。

　😐　テイタラク？　ぼくの？

　🦉　そうさ。

　😐　ぼくの何が悪いっていうんだ。毎日、仕事ばかりしているっているのに……。たしかに身の回りのことはほとんどできていないけど。

　🦉　それが問題だよ。君は不動産投資をしていると言ったね。

　😐　それがどうしたんだよ。

　🦉　そうして赤字が出ている。

……よく知らないよ。管理会社に任せてるから。

なるほど。それじゃあ財布を落としていることにも気付かないわけだ。

それとこれとは関係ないだろ。

いや、あるね。

どうしてだよ！

その赤字を放置しておくと、君は毎月、財布を落としているのと同じことになるんだぜ。

「このままだと毎月財布を落としているのと変わらない！」

🧑 毎月財布を落としてるのと変わらない？　どういうことだ！

😼 言葉のとおりさ。現に君は、赤字を垂れ流しているだろう？

🧑 だからよく知らないって。業者の人に言われたとおり購入して、保有しているだけだから。管理もすべて業者に任しているし……。

😼 物件はいくつ持っているのかな？

🧑 たしか……3つ……、いや、2つだったかな。

😼 ほうら。それすらちゃんと把握できていない。

🧑 ……。

😼 持っているのは2つともワンルームマンションだね？

🧑 ……うん。そう、そう（なんで知ってるんだ？）。

😼 物件状況の詳細は？

🧑 ……。

😼 やれやれ……。そんなずさんな投資をしているようでは、きっと、損失が積み重なっていることにも気づいていないんだろうね。

🧑 損失が積み重なっている？

😼 そう。そしてその損失は、きょう君が落とした財布の額とそれほど変わらないんだよ。

🧑 そんなバカな……。

😼 おわかりかな？

🧑 でも、たしかに、物件を購入するときに業者の人から「若干の損失

は出るかも」って言われたけ

ど……。

　　それで？

　　でもそれは、将来の資産

形成のためだから仕方ないん

だよ。

　　わかってないね。

　　どういうこと！？

　　保有している不動産が損

失を出し続けているのに、そ

れのどこが資産形成になるっていうんだい？

　　だって、ローンを返済すれば自分のものになるだろう？

　　ふむ。

　　それに不動産を持っていれば、それだけで資産になるし、人に貸し

たりもできるし……。

　　それは不動産業者のセールストークだ。

　　なんだって！？

　　常套手段だよ。彼らは、物件を買わせるために甘い言葉を使う。もっ

とも、それはこの業界に限ったことではないけどね。

　　じゃあ、間違った投資をしているって言うの？

　　そうではない。投資に正解も不正解もない。あるのは結果だけさ。

そして君は、マイナスの結果が生じている。

🧑 ……マイナスの結果。

😈 そうさ。なるほど君は、将来のことを考えて不動産投資をはじめた。それ自体はいいことだ。勇気のいる決断だったろう。

🧑 ……まあ、そう、かも……。

😈 違うの？

🧑 いや、「このままじゃ将来ヤバいかな」って思ってさ。それで、たまたま不動産業者の人と知り合って、まあ買ってもいいかなって（本当は別の理由もあるけど）。

😈 君という人は……。本当にお人好しだな。

🧑 それって褒めてる？

😈 だからマイナスが出る投資を平気でしてしまうのさ。

🧑 ……（やっぱけなされてた）。

😈 それに投資の勉強もたいしてしていないだろ？

🧑 だから、仕事が忙しいんだよ。

😈 それは言い訳にはならないさ。

🧑 ……。

😈 安心しろ。君だけじゃない。世の中には、よくわからずに投資に手を出して、大損している人がたくさんいる。

🧑 そう言えば、最近もニュースになってたなあ。不動産投資じゃなかったけど。

😈 同じことさ。結局は、カモにされているわけだから。

🧑 ぼくの投資はすでに失敗してるってこと？

そうじゃない。この状況を放置していることが失敗への道なのさ。

失敗への道。

そう。よくわからずに物件を保有し、何も考えずにすごしていることが問題なんだ。

どうすればいい？

まずは現状を正しく理解することさ。

現状を理解すること……。

そう。君が忙しいのはわかる。だけど、君の将来だ。君自身が考えなければ、誰も考えてくれないよ。

業者に任せていればそれでいいと思ってたよ。

そうだろう。だから君はお人好しなのさ。

……ねえ、ひとつ聞いていい？

なんだね？

なぜ君は、ぼくの元へやってきたの。

じきにわかる。

……（はぐらかされた……鳥に……。）

ところで君は数字が読めるかね？

数字？ 数字はもちろん苦手だ。バリバリの文系だからな！

……いや、胸を張っていうことじゃないから。

……。

まずは、今の状況を数字で把握した方がいい。

25

そんなことできるの？

簡単さ。管理業者から物件情報の詳細を取り寄せればいい。

あ、そっか。じゃあさっそく……。

その必要はない。

は？

さっき、そこの書類の山から見つけておいた。

あ、ぼく宛の郵便を勝手に！

個人情報は見てないよ。不動産に関するものだけ。

……まあ、話が早いからいいけど。

ここに、君が所有している２つの物件に関する詳細がある。まずは、ここに記されている数字をチェックすることからはじめよう。

物件を放置したまま、赤字を垂れ流すのは危険！

えっと……。保有している２つの物件は……。うん、たしかに今は赤字だ。でも大した金額じゃないよ。

どのくらいだい？

あわせて……１万円ぐらい。

なるほど。つまり君が落とした財布に入っていた金額と同じだな。

で、でも、ローンの返済にあててるんだからたいしたことないよ。完済すれば物件はぼくのものになるし。……やっぱり、ぼくの投資は失敗じゃない！

そう考えたくなるのもわかるが……。まあ冷静に考えてみよう。

どこかに問題があるのか？

まずは、赤字が出ていること自体が問題だ。

それって普通じゃないの？

普通かどうかというより、そうならないような運用も可能ということだ。

つまりどういうこと？

物件を購入し、賃貸に出して家賃収入を得ていれば、ローン返済と家賃収入を相殺できる物件もある。あるいは、プラスになることだってあるんだ。

えっ！

知らなかったのかい？

うん。普通、赤字になるものだとばっかり……。

まあ、言われたことをそのまま信じていると、そうなるね。

相場から考えるとそれが普通だって……。

他の物件、たとえばアパートや他のマンション、新築・中古、立地なども詳しく比較してみたかい？

いいや……。

それじゃあ、君が購入した物件が「普通」だと思ってしまうのも無理はないね。

……。

けれど、どんなものにも良し悪しがある。あれを見て。君が部屋に置いている観葉植物も、枯れているものもあればまだ元気なものもあるだろう？　窓際に置かれたものと、そうでないものにも違いがある。

　ぼくは無造作に置かれたいくつかの観葉植物を見た。母からもらったポトスは、レースのカーテンのそばに置かれ、まだ濃い緑色をしていた。一方で、壁際にある、自分で買ったモンステラは、大きな葉をいくつも落としていて、いまにも枯れそうだった。

言いたいことはわかったけど……。

まだ何か釈然としないところがあるかい？

なんだかイメージがわかなくて。

それは何に対するイメージ？

うーん。このままいくとどうなっちゃうのかなって。

……ある意味スゴいね。無神経というか。

よく言われるよ。「お前はどこか抜けてるところがある」って。頼りないとも言われたなあ。……悪気はないんだろうけど。

でも、損をするのは嫌だろう？

嫌だ。

よし。それならシミュレーションを見てみよう。

シミュレーション？

そうさ。君の物件も最初から赤字だったわけじゃないだろう。

そう……だったと思う。

うん。当初はわずかなプラスやマイナスでも、物件は資産になると考えてそのままにする人は多い。でも、新築ワンルームの場合はとくにそうだけど、時間が経つほど状況は悪くなる。

……。

たとえば、次の図を見てほしい。このシミュレーションでは月々の収支がプラスになっているね。

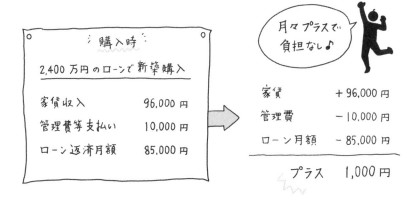

うん。自分の物件も最初はこんな感じだった……はず。

これが5年後になると次のように変化するんだ。

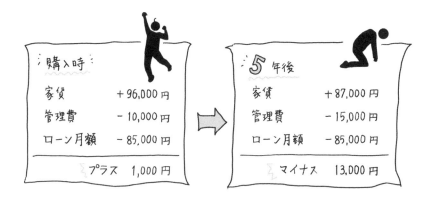

　あ！　一気にマイナス1万円以上になった！

　そうだ。この試算だとマイナス 13,000 円。この数字を完済まで維持できても、税金や設備負担などで 1000 万以上の負担になる。

　1000 万 !?

　ドキッとするだろう。

　ドキッとどころじゃないよ！　なんでこんなことになるのさ！

　理由はいくつかある。たとえば、購入から時間が経つほどに家賃（得られる家賃収入）は下がり、管理費は上がる。また、新築時の入居者が退去すると、次の入居者を募集する際には「新築プレミアム（新築ならではの選ばれやすさなど）」がないため、家賃を下げないと入居者が決まらないケースも多い。それに、修繕積立金などが購入時よりも上がることもある。リフォーム費用などもそうだな。

　そんな説明されてない……。

　実際はしているかもしれないけど、それを業者はうまく濁しているのさ。物件をさばきたいからね。

　きたねえ……。

　でも、業者ばかりが悪いわけじゃないよ。

　どうして !?

　……投資はあくまでも、自己責任だからさ。

　自己責任……。

　もちろん、君のように物件を放置していて厳しい状況に陥っている人は、他にもたくさんいる。たとえば、次のようなケースだ。

・ **A さん**（30 代、国家公務員）

デベロッパーの営業マンに熱心に勧誘され、断り切れずに物件を購入。現在、新築ワンルームを 3 戸所有。購入から数年経過しており、毎月 10 万円程度のマイナスを出している。都心の物件のため、家賃も安定しているだろうと考え、多少のマイナスが生じてもそれほどリスクは大きくないと考えていたが、購入から数年で新築プレミアムもなくなり、家賃が大幅に下落。収支のマイナスも拡大し、家計に影響が及ぶように。最終的には、ローン残高と売却額の差額にあたる 1000 万円の損失を出して売却することとなった。

・ **B さん**（50 代、上場企業の管理職）

上場企業の管理職を務める B さんの年収は 1,500 万円ほど。老後の年金や節税対策として、同僚に紹介された不動産会社から新築ワンルームを 4 戸購入。不動産会社の提案内容を吟味することなく購入していたが、その後、思ったほどの利益が出なくなる。退職後もローンが残るため年金対策にはならず、また節税効果を実感できたのも初年度のみ。投資に失敗したという思いが日増しに強くなり、売却を検討しはじめた。

・ **C さん**（40 代、大手製造メーカーの会社員）

将来の年金対策として不動産投資をはじめた C さん。収支シミュレーションも厳しく行っていたものの、7 年ほど経過したある日、管理組合から修繕積立金を 5,000 円値上げする通知が届く。結局、それを 30 年近く負担しなければならず、加えて将来的にはさらに値上げになることも判明。老後の大きな負担になってしまったと今は後悔している。

よくある失敗事例を見てみよう

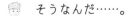　実際の数字や実例を聞いて、なんとなく現状がイメージできたかい？

　うん……。このままじゃ、ぼく、ヤバい……かも。

　そうさ。でも、まずは、それに気付くことが最初の一歩。

　一歩……。

　そうさ。ほとんどのサラリーマン投資家は、それにすら気づいていない。

　そうなんだ……。

　君のように忙しくしているからね。もしくは、いまは余裕があるから深く考えない。実家が金持ちだったりする人もいるしね。

　でも、損失を放置しておくのはよくないね。

　そうさ。それは、将来のためにも良くないことなんだ。それは「投資の失敗」を放置している状態とも言える。

　投資の失敗……。

　当然、投資にも失敗と成功がある。大事なのは、"失敗の典型"に陥らないことだよ。

　どういうこと？

　　　たとえば、こんな人は不動産投資に失敗する。

　　□ 表面利回りしか見ていない
　　□ 適正価格が分からない
　　□ 勉強しない
　　□ 長期的な計画性がない
　　□ 不動産会社の選定をミスしている

　　　それぞれ、ちゃんと説明してよ。

　　　まず、利回りには「表面利回り」と「実質利回り」があるのを知っているかい？

　　　聞いたことがあるような……。

　　　……。まあ、単純な収入と支出だけを見て判断するのではなく、ちゃんと税金とかも考えようってことさ。君みたいに数字も把握していないのは論外。

　　　（耳が痛いなあ……）……適正価格は？

　　　これは物件を購入する前の話。複数の物件を比較したり、相場をチェックしたりして、適正価格で購入することが大事。営業マンの言いなりになっている人はこれができない。

　　　（ぼくだ……）。あと、勉強って？

　　　自分の大事なお金を使って投資するのに、投資の仕組みを勉強しないのはアウト。それから物件の情報収集をしたり資格を取得したりなど、

日々勉強する姿勢が問われるんだ。

🧑　そういや何もやってないや……。

😈　だろうね。あとは計画性。短期の利益だけでなく、中長期的な視点で収支シミュレーションをし、冷静に物件の良し悪しを判断する必要があるね。値動きなども踏まえて。

🧑　お……おう。あとは、不動産会社の選定？

😈　たとえば、「新築の分譲開発しか行わない」「買取再販しかしない」など、やることが決まっていたり、親身になって相談できなかったりする業者は避けるべきだ。だって、何でも相談できた方がいいだろう？

🧑　そりゃそうだ！

😈　うん。だから、そこも含めて判断することが大切なんだよ。

🧑　そうなんだ……。何も知らなかったな。

😈　その他にも、次のような点に注意しておくべきだね。

　□ 現地を見ずに購入している

　□ 衝動的に物件を買っている

　□「節税効果がある」と聞いて購入している

　□「生命保険代わりになる」というセールストークで購入している

🧑　生命保険代わりもダメなの！？

😈　ダメというわけではないが、そこには落とし穴があるんだ。

🧑　どういうこと？

よくあるのが、「マンション投資をはじめて団体信用生命保険に入れば、生命保険代わりになるよ」というセールストークなんだ。

団体信用生命保険……。あ、「団信」ってやつだね！

そう。この制度は、住宅ローンの返済中に契約者が死亡したり高度障害になったりしたとき、保険会社がローン残高を支払ってくれる仕組みなんだ。

そうそう。そんな話を聞いて、保険を解約したんだっけ。なら、やっぱりお得なんじゃん！

話を最後まで聞いて。そもそも、ローン残高は年数が減っていけば少なくなっていくよね。

そりゃそうだ。こっちはコツコツ返済してるんだから。

なら、もしものときに肩代わりしてくれる金額も減っていくんじゃないかね？

……あ！

わかったかい。ローンの残金が下がると保証される価格も減ることになるのさ。

でも、物件が残ればそれでいいんじゃない！？

もちろん不動産という資産は残る。けどね、物件の価値も、年数が経てばやっぱり下がっていくんだよ。

……。

だから、生命保険と同列に考えるのは危険なのさ。

解約しなければ良かった……。

　　　　君の場合はまだ若いから、あらためて入り直せばいいよ。けどね、不動産投資家の中には、当初の保険料よりもかなり割高になってから、再加入している人もいるんだ。

　　　　負担が増えるだけじゃん！

　　　　そうなんだ。だから、「生命保険代わり」という言葉を鵜呑みにするのではなく、しっかり考えることが大事なんだよ。

　　　　そうだったのか……。

　　　　事前に相場をチェックしたり、ちゃんと物件を見に行ったり、どのような数字になるのかシミュレーションしたりなど、不動産投資にはさまざまな準備が欠かせない。それをしないと、思わぬ落とし穴にはまってしまうのさ。

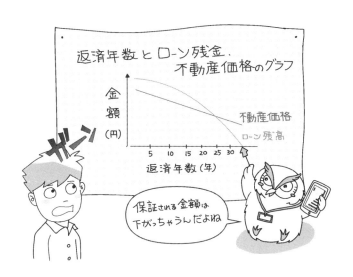

一緒に改善していこう！

　ぼくは、フクロウから聞いた話で、頭の中が真っ白になっていた。

　心を落ち着けようと思い、冷蔵庫から麦茶を取り出して、その場で勢いよく飲んだ。そうして、棚からなるべくキレイなコップを取り出して、麦茶を注ぎ、フクロウの前にそっと置いた。

　フクロウはそれを、両手の羽を使って器用に飲んだ。上品な飲み方だった。

　ぼくは大きく深呼吸して、わざと声に出して「はぁー」と息をついた。先程よりは、鼓動もおさまっているようだった。でも、ちょっとだけ泣きそうだった。

　ぼくは、典型的な落とし穴にはまっていたんだね。

　そうだね。でも、君だけが悪いんじゃない。それに、将来のことを考えて投資をするのはいいことだよ。

　……ホントに？

　本当さ。

　忙しい毎日だから、将来の備えをする暇もない。けれど、お金のことはどうにかしたいと思って、それで勇気を出して不動産投資をはじめた結果がこれか……。

　そう悲観的になるなよ。

　思い返せば、アイツを見返してやりたかったんだよなあ。けど、それが裏目に出ちゃったわけだ。動機が浅かったのかもなあ……。

……。

やっぱり、不動産投資なんてしなければよかったよ！

……もう、あきらめてしまうのかい？

だって、これからどうすればいいって言うのさ？

簡単さ。いまの状況を改善していけばいいのさ！

えっ！

さっきも言ったように、君はまだ若い。物件だって、購入してからまだ10年も経っていないだろう。今からでもやりなおせる。

やりなおせるの⁉

私を信じる気があるならな。

……ぼくは……。ぼくは、君を信じるよ。もうすでに信じかけてるよ！

よろしい。その素直な性格は、君の強みかもしれない。だから失敗もするのだが、その失敗を成長につなげれば何の問題ない。

君はぼくを助けてくれるの？

……ああ。そのために来たんだ。

でも、そんなことができるのかい？　かなりヤバそうな状況だよ？

できるさ。簡単だよ。

じゃあ、さっそくお願いするよ！

まあ、落ち着いて。明日は土曜日だから休日だね。今夜はゆっくり休んで、たっぷり寝て、明日からはじめよう。

わかった。……今夜は帰るかい？

できれば、泊めてもらえると助かるのだが。

別にいいけど……、ただ、布団がないんだよね。自分のぶんしかない。

大丈夫。座布団と毛布があれば、私には十分。

それなら、押し入れの中にあるけど。

それから、私は暗いところが好きだ。だから押し入れの中で寝させてもらうよ。

（変な奴……）……好きにしてよ。

そうそう。明日からのメニューを先に伝えておくよ。君の現状を改善させるために必要なのは、以下のレクチャーだ。

- 不動産投資に関する基礎知識を身につける → **第2章**
- 投資のカラクリと業者の手口を知る → **第3章**
- ワンルームマンション投資の勉強方法を学ぶ → **第4章**
- 保有物件の改善方法と売却方法を知る → **第5・6章**

けっこう、いっぱいあるね。

うん。まずは、不動産投資の基礎知識を身につけてもらう。それから、投資のカラクリや業者の手口、勉強方法、そして最後に物件の具体的な改善方法と売却方法（出口戦略）を伝授するよ。

すごいな……完璧だ。

早合点するなよ。これらをマスターできてこそ、君は不動産投資家として一人前になれるんだ。そして、そこから新たなスタートをきるんだよ。

ぼくにマスターできるかな？

　君次第だな。

　……でも、やりたい。やってみたい。このままじゃダメだ。ぼくは変わりたい！

　よく言った。その気持ちがあれば大丈夫。あとは私に任せておけ。

　フクロウ……（見た目はただの鳥だけど、なんだか神々しく見えてきた）。

　それでは、私はもう寝る。君も今日は早めに休むんだな。それでは、オヤスミ。

　そう言うと、フクロウは押入れの中に座布団と毛布を敷いて、中から両手でふすまを閉めた。閉まりきる直前に、ぼくの目を見て、片方の手の羽をすこし立てた。親指を立てているようにも見えた（親指があるのかどうかわからないけど）。

　……オヤスミ。

　ぼくはスーツを脱いでシャワーを浴び、スウェットに着替えて、万年床に身体を横たえた。

　寝る前にビールが飲みたかったけれど、今夜はやめにした。明日はやることがあるのだから。そんな休日は久しぶりだった。

　いつもは寝ているだけの週末に、一筋の光がさしている。ぼくは、薄汚れた天井を見上げながら、そのことを少しだけ嬉しく思った。

そうしてふすまに目を向けた。中からは何の音もしなかった。

　頭の中ではいろいろな思いが交錯していた。けれど、やがて静かに、夢の中へと落ちていった……。

第2章

不動産投資の基礎知識を学ぼう！

翌朝。

　いい匂いがして目を覚ますと、台所の方で何やら音がする。時計を見る。時刻は午前 10 時をまわったところだった。

　ぼくが寝ぼけた頭でふらふらと台所へ行くと、そこにはフキンをエプロン代わりにするフクロウがいた。徐々に昨日の記憶が蘇ってくる。

　そうだ。ぼくは昨夜、財布を落とした。そしてこのフクロウに会ったんだ。でも、どんな話をしたんだっけ……？

　　やあ、起きたね。おはよう。

　　……お、おはよう。

　いつも散らかっていたテーブルには物がなく、周囲も整理整頓されてい
た。テーブルの上には焼きたてのパンとサラダ、それにスクランブルエッ
グが皿に盛り付けられていた。

　フクロウは、ポットのお湯を注いでコーヒーを入れた。椅子に座ったぼ
くの前に、それを静かに置いた。

　　ありがと……。

　　それを飲んだら顔を洗って、それから朝食を食べて。今日はやるこ
とがたくさんあるよ。

　ぼくは黙ってコーヒーを飲み、顔を洗い、フクロウが作った朝食を食べ
た。美味しかった。ちゃんとした食事は久しぶりのような気がした。

　食べ終えて洋服に着替えると、フクロウは後片付けを終え、先ほどより
もキリッとした表情でテーブルの上にいた。

　ぼくはノートとペンをもって、また席についた。

　　それでは、さっそくはじめようか。

不動産投資とは（一棟投資と区分投資）

😈 まずは、不動産投資に関する基礎の基礎からはじめよう。

🙂 不動産投資の基礎の基礎？

😈 そうさ。そもそも不動産投資とはどういうものだか、君は知っているかい？

🙂 ……えっと……、物件を買って……それから……。

😈 よろしい。まず不動産投資とは、不動産を購入して所有し、賃貸に出して家賃収入を得る事業のことだ。いわゆる「大家業」とも言われているね。

🙂 ……そうそう。それが言いたかった。

+++ 不動産投資とは +++

不動産を購入して所有し、賃貸に出して家賃収入を得る事業のこと。
「大家業」などとも表現される。

😈 そんな不動産投資には、大きく2つの種類があるんだ。

+++ 不動産投資の種類 +++

・**一棟投資**：マンションやアパートを一棟すべて所有する投資法
・**区分投資**：マンションの一室を一単位として所有する投資法

このうち、君がしているのは区分投資だね。

うん。ワンルームマンションの部屋を 2 つ所有しているからね。

そうだね。ここまでは大丈夫かい？

……お、おうよ。

不動産投資の仕組み

🧑‍🦰 次に、不動産投資の仕組みについて見ていこう。

🧑 ……仕組み？

🧑‍🦰 そう。不動産投資の中でもとくにワンルームマンション投資は一戸単位、つまり一部屋ずつ購入し、その物件を所有して賃貸に出すのが基本だったね。

🧑 うん。

🧑‍🦰 そして君は、すでに2戸の物件（2部屋）所有している。

🧑 そうだよ。

🧑‍🦰 そして2戸とも賃貸に出し、赤字を出したまま放置している。

🧑 ……ああ（わざわざ確認しなくても……）。

🧑‍🦰 重要なのはここだ。赤字を出しているのに放置している理由は、不動産投資の仕組みを理解していない可能性が高い。

🧑 どういうこと？

🧑‍🦰 不動産投資をはじめるには、最初に物件を購入しなければならないよね。つまり「仕入れ」が必要だ。

🧑 仕入れ……。

🧑‍🦰 そう。魚屋さんが魚を仕入れたり、八百屋さんが野菜を仕入れたりするのと同じさ。ただ、不動産投資には次のような特徴がある。

+++ 不動産投資のポイント +++

・ローンで購入するのが一般的（つまりローン返済が伴う）

・収入（家賃）が継続的に得られる

🐱　つまり、物件の購入価格を支払うのも、そこから利益を得るのも、時間をかけて継続的に行われていくものなんだ。

🧑　……なるほど。

🐱　それはワンルームマンション投資でも同じだよ。もちろん、転売してすぐに利益を出す手法もあるけどね。ただここでは、賃貸業に限定して話を進めていくよ。じゃあ、どうしたら赤字になると思う？

🧑　えっと……、収入と……支出が……。

🐱　うん。そこにポイントがあるよね。つまり、不動産投資における赤字は次のようなときに生じるんだ。

+++ 不動産投資で赤字になるケース +++

（家賃）**収入**　＜　（ローン返済や管理費、税金などの）**支出**

🧑　要するに、収入より支出が多いときに赤字になるの？

🐱　そのとおり。実にシンプルな仕組みだろ。

🧑　たしかに……。

🐱　その点、不動産投資も一般的なビジネスと同じさ。収入よりも支出が多くなれば赤字になる。そして不動産投資は、収入と支出が継続的に行

われていくのが基本なんだ。

うん。

本来であれば、家賃収入でローン返済などの支出をまかなえるのが
ベスト。そうすれば収支は黒字になる。でも、家賃収入より各種支出が多
くなれば赤字になるんだ。

……よくよく考えてみると、けっこう単純な仕組みなんだね。

ワンルームマンション投資のメリット・デメリット

さて、不動産投資の基本的な仕組みを理解したら、次にワンルームマンション投資ならではの特徴を深堀りしてみよう。

うん。……だいぶわかってきた気がする。

よろしい。さて、ワンルームマンション投資には良いところもあれば悪いところもある。つまりメリット・デメリットだね。

ふむふむ。

本来であれば、それらを加味した上で投資を決断することが大事だ。残念ながら君の場合はそうじゃなかったようだけど……。

……（ほっとけ）。

重要なのは、一棟投資や他の投資との違いを理解すること。たとえば、ワンルームマンション投資には次のようなメリットがあるよ。

+++ ワンルームマンション投資のメリット +++

・手間がかかりにくい（業者に任せられるので、副業として取り組みやすい）

・ローンを活用すれば、自己資金を用意しなくてもできる

・レバレッジを効かせられる（自己資金がなくても大きな利益を得られる可能性がある）

・価格の変動が緩やか（株や為替と比較した場合、急激な値動きが起こりにくい）

その他にも、「年金の足しになる」「相続対策になる」「（赤字を出して）節税効果を得られる」などの利点もあるよ。このあたりは、不動産投資全体に言えることだね。

年金とか節税とかは、物件を購入するときによく言われたなあ。

そうだろうね。それらはわかりやすいメリットだから。でも、よく調べていないと、それらのセールストークにひっかかることになる。

……ん？　ってことは、そのような利点は嘘ってこと！？

嘘じゃない。嘘じゃないんだけど、その裏側を知った上でないと正しい判断はできないよ。たとえば、ワンルームマンション投資のデメリットには次のようなものがある。

+++ ワンルームマンション投資のデメリット +++

・赤字になりやすい

・物件価格や家賃が下がる可能性がある

・入居期間が短いので、収益が不安定になりやすい

・出口戦略が限定される

けっこう、いろいろあるね……。

そうだね。たとえば自己資金を出さないで物件を購入すると、毎月の返済（元金や金利など）が高額になり、赤字が出やすくなる。また、家賃が下がればより厳しくなるよね。とくにワンルームマンションは、単身者が利用することが多く、入居期間が短い点も押さえておくべきだ。空室

になっても支出はあるから、その期間は当然赤字になるよ。

　　うーん……。あと、出口戦略というのは？

　　詳しい内容はあとで説明するけど、要は物件の売却とか改善についての"打ち手"が限られているってことさ。一棟丸ごと持っていればできることもいろいろあるんだけど、1戸単位だとどうしても限界がある。今はそのぐらいの理解でいいと思うよ。

　　なるほど……。本来は、こうしたメリット・デメリットを踏まえて物件を選ぶべきなんだね。

ワンルームマンション投資のリスク

さて。ここからは、ワンルームマンション投資のリスクについて掘り下げていこう。あらゆる投資にはリスクがある。だから、そのリスクをきちんと把握しておくことが大事なんだ。

あらゆる投資？

そうさ。そもそも投資は、リスクがあるからリターンがあるんだ。この大前提をきちんと押さえておこう。つまり、何のリスクも負わずに利益が得られることはないのさ。それがビジネスである限りね。

……甘い話にはウラがある……。

そのとおり。よくわかってるじゃないか。

いやあ。……でも、そこに惹かれるのが人情ってものでして……。

でも、不動産投資もビジネスであることは忘れちゃダメ。他の投資も同じだよ。だから、リスクについてしっかりと学んでおこう。

……はい。

たとえば、ワンルームマンション投資のリスクには次のようなものがある。

+++ ワンルームマンション投資のリスク +++

・価格低下リスク：景気状況によって物件価格が下落する可能性がある

・価格査定リスク：定価が存在しないため、相場の見極めが難しい

・想定外の維持修繕リスク：水漏れや雨漏りなどの修繕が発生するケース

・空室リスク：入居者が獲得できなかったり退去したりする可能性がある

・賃料低下リスク：競合物件が立てられるなど、賃料が低下することがある

・賃料滞納リスク：入居者が家賃を滞納してしまう場合がある

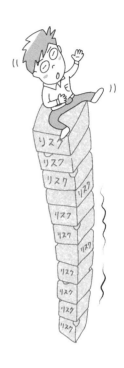

・その他の入居者リスク：住人トラブルなどが発生する可能性がある

・処分できないリスク：売却したくてもできないことがある

・金利の変動リスク：金利変動で支払いが増える場合がある

・災害リスク：地震・水害・火災での建物修繕などの災害リスク

・不動産会社の倒産リスク：管理会社などが倒産するリスク

・自己破産リスク：返済できなくなった場合は自己破産も

こんなにあるの！？

そうだよ。でも、これらすべてが必ず起こるわけじゃない。あくまでも可能性としてのリスクさ。つまり、そうした点も含めて投資判断をする必要があるんだね。

……だいぶ甘く考えてたよ。

そうだろう。ただ、そういう人は意外に多い。とくに、ワンルームマンション投資をする人にはね。

……。

でも、厳しい現実を見つめてこそ一歩を踏み出せるんだ。だから、学び続けることが大事だよ。いまの君のようにね。

インカムゲインとキャピタルゲイン

さて、ここからちょっと話が難しくなるから注意しよう。でも、よく聞いてたら理解できるはずだから、がんばってついてくるように。

……大丈夫かなぁ。

ここまでの話が理解できていれば大丈夫さ。専門用語が出てくるから難しく感じるだけだよ。その用語とはね、「インカムゲイン」と「キャピタルゲイン」さ。

……インカ……。

インカムゲインとキャピタルゲイン。それぞれの意味は次の通り。

・**インカムゲイン**：家賃や更新料など、継続的に得られる収益のこと
・**キャピタルゲイン**：資産（不動産）の売却によって得られる収益のこと

とくに不動産投資の場合、インカムゲインは主に「家賃収入」、キャピタルゲインは「物件の売却益」だと考えておけばいいよ。

たしか……、不動産投資では家賃収入がメインになるんだったよね。

そう。とくに現在の日本市場では、土地値や物件価格の急激な値上がりは見込めない。成長著しい先進国やバブル期の日本と比較してみるとその差は明らかだよね。だから、不動産投資のメインはインカムゲインになるのさ。

なーるほど……。

インカムゲインの具体的な中身については、「家賃」「礼金」「更新料」「節税還付金（赤字の場合）」などがあるよ。それらが収入となり、そこから次のような支出項目が引かれることになる。

+++ 物件保有時の支出 +++

・ローン返済（元金＋金利）※ 経費になるのは金利のみ

・管理費

・修繕積立金

・保証料

・各種税金（固定資産税、都市計画税など）

・リフォームや設備交換費など

そのときに、収入のほうが多いと黒字になり、支出のほうが多いと赤字になるわけだね。

そのとおり。それぞれ「キャッシュフローが黒字になる」「キャッシュフローが赤字になる」などと表現するね。

それがキャッシュフローか……。

さらに、物件保有時のキャピタルゲインと売却時のインカムゲインをトータルで計算しておくと、不動産投資全体をプラスにしやすくなるよ。

+++ 不動産投資トータルの計算式 +++

（収入－支出）＋（売却価格－（物件購入費用＋売却時費用））

＝トータル収支

※ 物件購入費用の一例

・物件価格

・登記費用

・仲介料

・税金

※ 売却時費用の一例

・登記費用

・仲介費用

とくに、売却益が期待できないことを踏まえると、いかにインカムゲイン（キャッシュフロー）をプラスにできるかが大事なんだね……。

そういうこと。だんだんわかってきたようだね。

利回りについて

あとは、不動産投資に欠かせない「利回り」についても確認しておこう。

ああ、利回りね。それは聞いたことがあるよ。あれでしょ、その物件がどのくらいの利益を生むのかってことでしょ？

うん、そうだね。正確には、「投資金額に対する収益の割合」が利回りだよ。不動産投資であれば、物件に投資した金額に対する、収益（家賃収入）の割合が利回りとして計算されるんだ。

……ふむふむ。そこは大丈夫そうかな。

でも、どうして利回りが大事なのかわかるかい？

う……。

利回りは、その投資がどのくらいの利益を生むのかを表す "指標" のようなものなんだ。だからみんな、必ず利回りをチェックするんだね。

そういうことかー。

ただし、利回りには次のような2つの種類があるよ。それぞれの違いを理解しておこう。

+++ 利回りの種類 +++

・**表面利回り（グロス）**：月額家賃収入から管理費修繕積立金を引かずに年間総収入を計算し、購入価格で割ったもの

表面利回り＝月額家賃収入×12÷購入価格×100

・**実質利回り（ネット）**：月額の家賃収入から建物管理会社に支払う管理費や修繕積立金を引いた年間家賃収入を、購入価格で割ったもの

実質利回り＝

（月額家賃収入－管理費修繕積立金）×12÷購入価格×100

例）月額家賃収入 70,000 円、管理費修繕積立金 10,000 円、購入価格 10,000,000 円、の場合、実質利回りと表面利回りは以下のとおり。

表面利回り（％）7 万円× 12 ÷ 1,000 万円× 100 ＝ 8.4％

実質利回り（％）（7 万円－ 1 万円）× 12 ÷ 1,000 万円× 100 ＝ 7.2％

　一般的に、販売図面で表示されているのは表面利回りだ。だから、表面利回りで大まかな条件に合うのか判断し、次に実質利回りを見て具体的な手取り収入で投資対象として見合うのかを検討するべきだよ。

タカシ：……（表面利回りしか見てなかったかも）。

利回りは新築や中古、エリアなどでも変わってくるから、最新の情報をポータルサイト等でチェックしておこう。

なるほど。それぞれも違いがあるんだね。

とくにワンルームマンション投資の利回りは、株式投資よりはマシだけど、他の不動産投資に比べて低いと言われている。その理由は「空室リスクがあること」「不動産投資会社の利益が上乗せされていること」などが挙げられるよ。

家賃が入らなければ利回りは下がるし、業者の利益も上乗せされているのか……。

そうだ。それがワンルームマンション投資という"ビジネス"なのさ。利回りについてさらに詳しく知りたい場合は、信頼できる専門家に聞いてみるといいよ。

立地について

　君は物件を購入するとき、立地についても考えたかい？

　えっと……、どうだったかなあ。正直、あんまり考えずに購入しちゃったから……。

　そういう人は多いよ。とくにワンルームマンション投資の場合はね。それで後から困ったことになる。

　そうなんだ……。

　でもね、不動産の価値を決める要素として、立地が大事なことぐらいはイメージできるだろう？

　うーん、まあ、なんとなく……。物件がどこにあるのかで家賃も変わるしね。

　そのとおり。立地は土地の価格だけでなく、不動産の家賃にも影響するんだ。だから、物件選びにおける最重要事項なんだよ。

　よく考えたらそう、だよね……。

　それに、需要にも関係しているよ。たとえば、20 ㎡の広さで築30年のワンルームマンションがあった場合。最寄り駅まで徒歩30分かかる地方では入居希望者も少ないだろう。一方、同じ条件のワンルームマンションでも、都心で最寄駅まで徒歩2分だったら、多くの人が入居を希望するはずだ。

　うん。それはよくわかる。

　だから賃貸需要が少なく、十分な収入が見込めない立地には注意が

必要だよ。具体的には、次のようなエリアだ。

　　　+++ 不動産投資における危険エリア +++
・人口が減少しているエリア
・生活の利便性が低いエリア
・駅までの距離が遠いエリア
・その他、交通の利便性が悪いエリア（最寄りのバス停など）
・自然災害が想定されるエリア（水害、地震など）
・治安が悪いエリア

　　あとは、特定の学校や工場などに依存しているエリアも危険だ。それがなくなったら一気に需要が落ちるからね。

　　今は入居者がいても、将来はわからないもんなあ……。

　　その点では、コンビニエンスストアやドラッグストアの動向を見ておくといい。

　　……というと？

　　彼らは人口や家族構成、経済力、治安などさまざまな項目から市場調査をしている。もし撤退しているのなら、そのエリアは要注意だ。

　　なるほどね。

　　最後に、有望なエリアの見極め方についても説明しておこう。まず、将来的に賃貸需要が高まる可能性があるのは次のエリアだ。

　・周辺道路が整備されて交通利便性がよくなるエリア

　・商業施設が誘致されて生活利便性がよくなるエリア

　　これらはいわゆる「再開発エリア」と呼ばれるものだよ。再開発の情報は行政のホームページなどでもチェックできるから確認しておこう。

　　それは重要だね。あとは都心の物件とか？

　　たしかに都心部は賃貸需要が強い。東京を中心とした関東地方や名古屋・大阪・福岡などの大都市圏はとくに人気エリアだ。しかし、それだけで将来安泰とは限らないよ。環境は目まぐるしく変化するからね。それに都心部は不動産価格も高騰しやすい。その分、毎年かかる固定資産税が地方よりも高いんだ。

　　そういう違いもあるんだね。

　　だから、各エリアの特性を踏まえたうえで個別に判断していくことが大事だよ。情報収集をしっかりと行い、危険エリアを外しながら、賃貸需要や価格などを踏まえて選択するのがポイントだね。

理想的な投資とは（物件、経営、出口戦略）

🐱　ここまでの話をふまえて、理想的な投資の条件について考えてみよう。君には耳が痛い話かもしれないね。

🧑　う……。

🐱　とくに不動産投資の場合、理想的な投資には「物件選び」「経営」「出口戦略」という３つの要素が関係しているんだ。

🧑　３つの要素？

🐱　そう。それぞれ次のような内容になるよ

+++ 理想的な不動産投資に欠かせない3要素 +++

・**物件選び**：価格や立地など、不動産に関連する条件

・**経営**：家賃や入居率など、不動産経営や管理に関連する条件

・**出口戦略**：保有・運営後、物件の売却に関する条件

🧑　つまりどういうこと？

🐱　わかりやすく表現すると、「① 物件を買う前」「② 物件を買ってから賃貸に出している間」「③ 物件を売るとき」の３つが大事なんだ。

🧑　「買うとき」「持っているとき」「売るとき」って感じ？

🐱　そのとおり。これら３つのポイントを踏まえておけば、より良い不動産投資が実践できるよ。各項目の要点を確認しておこう。

+++ 物件選びのポイント +++

・収益性の高い物件を選ぶ

・好立地の物件で、手の届く価格帯であること

+++ 経営のポイント +++

・不動産管理会社の選定

・空室対策や各種メンテナンスへの対応

+++ 出口戦略のポイント +++

・最適なタイミングを見極める

・良い不動産会社をパートナーにする

　　これらの点を踏まえて投資しないと、失敗する可能性が高くなる。やはり、バランス良く慎重に検討していくことが大事だね。

　　それが不動産投資というものなんだね。

　　反対に、よく考えずに新築ワンルームマンションを購入してしまうと、物件価格の下落に苦労することになるよ。とくに新築は、購入してから最初の数年間で大きく価格が下がるんだ（新築プレミアム）。新築から中古になっただけで 2 割ほどは価格が下がる可能性もあるよ。

　　それは厳しいね。

　　ワンルームマンション投資自体、利回りが低い傾向があるからなおさらだ。だから「取引の相場価格や相場家賃が分からない状態で、2 割高

く物件購入してしまった」なんて声がよく聞かれる。その他にも「節税効果だけを期待して購入して、数年後から効果が無くなり、マイナスの収支の物件を保有している」「購入時に収支シミュレーションを行っていなかった」などの失敗例がよくあるね。

うーん……。

自己資金なしのフルローンで安易にはじめると、結果的に失敗しやすい。本来であれば、投資をはじめる前に、時間とお金を使ってしっかり学ぶべきなのさ。

成功例（成功の定義とは）

（アイコン）　基礎編の最後に、ワンルームマンション投資の成功について考えてみよう。

（アイコン）　おっ。なんだか前向きな話だね。

（アイコン）　そうさ。ワンルームマンション投資にも良いところがないわけじゃない。事実、成功している人もいるんだ。

（アイコン）　たとえばどんなケース？

（アイコン）　一例を挙げてみよう。たとえばこんな成功事例があるよ。

＜自己資金で投資＞

フリーランスとして活動中の個人事業主の A さん。独立後、順調に仕事を受注できていましたが、将来の安定した収入に対して不安を抱いていました。そこで、本業と別の収入源を確保するため、貯蓄した資金でワンルームマンション投資を始めました。

1,000 万円ほどで築年数が古い物件を購入。利回り 6 ％で毎年約 50 万円ずつ収益が上がったため、5 年で 200 万円ほどの資金を貯蓄できました。

そこで、自己資金と合わせて、もう一軒追加でワンルームマンションを購入。新たに購入した物件はローンを組まなかったので、その分の家賃収入はすべて利益として残ることに。本業以外の収入があることで、精神的にもずいぶん楽になりました。

＜立地にこだわって購入＞

地方で開業医を営むBさんは、駅近、都心にこだわって物件を購入しました。いろいろなセミナーやポータルサイトを閲覧して研究をした結果、資産価値が減少しづらい物件を購入すると区分マンション投資で成功する可能性が高いと気付きました。

立地にこだわった甲斐もあり、空室になってもすぐに次が決まるので、空室率が低く、先日の査定では購入した5年前よりも価格が20％上昇していることが判明しました。

ローン返済や、インカムゲインとキャピタルゲインの両面から考えてもプラスしかありません。金融機関からも次の物件を購入した際にもぜひ融資したいと営業されています。

＜中古で利回りを重点＞

通信インフラ会社勤務のCさんは、デベロッパーの勧めで新築マンションの購入を検討していました。しかし、いろいろと物件を調べているうちに、利回りが良ければ中古物件の方がローンを組んでプラスの収支になることに気付きました。

キャッシュフローをプラスにすることを意識して物件を4軒購入。ローンの返済が進んだ10年後に、さらに収益を良くしたいと考えて繰り上げ返済を実行し、今では月の手取り収入が25万円に上がっています。

金融機関からの信用がついたので、今後は3軒追加で購入する予定です。利回りが良ければ自己資金なしで物件を得ることも可能になります。

＜長期的な投資をする＞

自宅の購入を検討していた大手企業のサラリーマン D さん。ポータルサイトで極端に安いマンションを発見しました。不動産会社からは「賃貸中なので安い」と説明を受けたので、自分が住めない物件だとわかり、一旦は購入を見送ろうと思いました。しかし、「投資として入居者が退室するまで持っていれば利益になる」と営業担当者から再度説得を受け、ローンを組んで投資をすることにしました。

それから 4 年後、購入した賃貸中のファミリータイプの 50 ㎡マンションの入居者が退去することに。そのタイミングで査定をしたところ、購入額から 30％も高く売れることが判明しました。

結果的に自分で住むことにしましたが、安く購入できたので含み益が大きく、いずれ処分する時には大きな利益になると期待しています。

自己資金、立地、中古、長期投資など、成功する投資にはいろいろな方向性があるんだね。

　　　そうだね。だから、成功者から学べることはとても多いんだ。数字でも確認しておこう。

+++ 成功する収支例 +++
中古区分マンションを 1,500 万円で購入し、750 万円のローンを組んだケース

価格：1,500 万円　ローン：750 万円　返済期間：20 年　金利：1.6%
家賃：70,000 円（1 年ごとに 0.5%下落）
管理費・修繕積立金：11,800 円（5 年ごとに 1,000 円値上げ）

	収入 / 月	支出 / 月	収支 / 月
購入時	70,000 円	48,336 円	21,664 円
5 年後	68,250 円	49,336 円	18,914 円
10 年後	66,540 円	50,336 円	16,204 円
15 年後	64,880 円	51,336 円	13,544 円
20 年後	63,250 円	52,336 円	10,914 円

これなら常にプラスになりそうだね。

そう。その視点が大事なんだ。それに、このような物件ならいつ売却しても利益が出る可能性がある。だから、メリットとデメリットをしっかり押さえた上で、投資期間中にプラス収支を維持でき、かつ売却時に価格の下がりにくい物件の選定、経営、出口戦略が求められるんだね。

第 3 章

ワンルームマンション投資のカラクリと
業者の手口を知ろう！

カモにされるサラリーマン

👤 不動産投資の全体像はなんとなくわかってきたよ。でも、それ自体が悪いものとは思えないなあ……。

🐸 そうだね。不動産投資はあくまでも数多くある投資法の一つでしかない。だから、そこに良し悪しがあるわけじゃないんだ。もちろん、すでに紹介したようなメリット・デメリットはあるけどね。

👤 じゃあ、どうしてぼくは厳しい状況にあるんだろう。やっぱり赤字なのがいけないんだろうか……。

🐸 それはあるね。とくにワンルームマンション投資の場合、よく考えて投資をはじめないと、いわゆる"カモ"にされてしまうことがよくあるんだ。とくに、忙しくしているサラリーマンなんかはね。

👤 ってことは、結局ぼくが悪いの!?

🐸 まあまあ。そう結論を急がずに。たしかに投資は自己責任なんだけど、ある意味仕方ない部分もあると思うよ。たとえば、サラリーマンがカモにされる理由は次のとおり。

・不動産投資や管理の知識が足りていない
・本業があるので不動産投資に専念できない
・ローンが通りやすい

👤 知識が足りてないとか本業があるとかはわかるけど、「ローンが通り

やすい」ってどういうこと！?

　　不動産投資はローンを組んで物件を購入するのが基本だったね。だから、前提としてローンが通らなければはじめられない。だから収入が不安定な自営業者や非正規雇用の人は、やりたくてもなかなか難しいんだ。

　　でも、サラリーマンならローンが組めてしまう？

　　そう。だから一定の年収があるサラリーマンや公務員は、不動産業者からも営業をかけられやすいのさ。

　　安定していることが仇になるなんて……。

　　まあ、さっきも言ったけど、不動産投資自体が悪いわけじゃない。ちゃんと知識を得てからはじめないのがいけないのさ。

　　だって、仕事が忙しいし……。

　　わかるけどね。でも、損をするのは自分だよ。事実、業者に言われるがまま高値で物件を買ってしまったり、あとで想定外のコストに苦しんだり、「サブリース契約」などを安易に結んでしまったりするケースが多い。

　　サブリース？

　　それについてはこの後に説明する。その前に、不動産投資には次のような「初期費用」と「ランニングコスト」がかかることを確認しておこう。

初 期 費 用

☐ 建物にかかる消費税

- ・新築の建物を法人から購入する場合にかかる
- ・土地、売主が個人である中古建物は非課税

☐ 不動産取得税

- ・不動産を取得した者に対して課せられる税
- ・「取得した不動産の固定資産評価額×税率 4%」（土地と住宅については、2024 年 3 月 31 日まで軽減税率 3%）がかかる

☐ 印紙税

不動産の売買契約書やローンの金銭消費貸借契約書に課税される

☐ 住宅ローンにかかる各種手数料（ローンを借りる場合）

利用する金融機関により、団体信用保険の掛け金や融資手数料、保証会社手数料などが発生する

☐ 火災・地震保険料

火事や水害などの自然災害が発生した際に保険金が下りる火災保険や地震保険の掛け金も発生する

☐ 水道加入負担金

- ・水道利用申込の際に水道局に支払うお金
- ・地方公共団体（自治体）により負担する金額は異なるため、物件のある水道局に確認が必要

ランニングコスト

□ <u>所得税・住民税</u>

　不動産収入に対してかかる

□ <u>固定資産税</u>

・所有している不動産に対して毎年発生する
・固定資産税評価額の 1.4% が課税される

□ <u>都市計画税</u>

・都市計画区域に物件がある場合にかかる
・固定資産税評価額の 0.3% が課税される

□ <u>管理委託費</u>

　家賃収入の約 5% が相場

□ <u>サブリース料</u>

・管理委託とは別で、物件そのものをサブリース会社に一棟丸ごと貸す
　サブリース方式の場合にかかる
・家賃収入の約 10 ～ 20% が相場

□ <u>保守費用</u>

　エレベーターや受電装置など、設置が多いほどそれに対応した定期検査
　が必要

□ <u>修繕費</u>

　建物で日常的に発生する小規模な修繕だけでなく、数十年に一度の大規
　模修繕についてのコストがかかる

こんなにあるんだ。あらためて見るとスゴい……。

そういうこと。だから事前に学んでおくことが必須なんだ。それに、仕事が忙しくて時間がないのなら、信頼できる不動産業者（管理会社、仲介会社など）を見つけておくことも大事だね。

いやあ、甘かった。自分が甘かったよ……。

それだけわかれば十分。今からでも遅くない。不動産投資のカラクリについてさらに掘り下げてみよう。

サブリースに要注意

さっき言ったサブリースについて確認しておくよ。そもそもサブリースとは、不動産業者がオーナーから物件を借り上げ、入居者に転貸（又貸し）する形態のことだ。つまりオーナーは、業者に物件を貸すわけだね。

なるほど。でも、どうしてそんな仕組みがあるの？

サブリース契約を結んでおくと、オーナー（投資家）は、入居者の有無にかかわらず家賃が保証されるんだ。業者や契約内容にもよるけど、一般的には家賃収入の 80 〜 90% が保証されるよ。

んっと……。普通は、入居者がいなければ家賃収入はゼロだよね。だから空室対策が大事だったような……。

そのとおり。ワンルームマンション投資にかかわらず、不動産投資の収益源は主に家賃だからね。入居者がいなければはじまらない。

じゃあ、オーナーにとってはいい仕組みなんじゃん。サブリースって……。

そういう側面もある。また、安定して収入を得られるというメリット以外に、一連の管理業務を業者に委託できる点も魅力だ。入居や退去にともない発生する広告料や原状回復費用も業者負担となる。

聞けば聞くほどいい仕組み……。それの何が問題なの？

たとえば、次のようなデメリットがあるんだ。

+++ サブリースのデメリット +++

☐ 直接契約よりも収入が減る

☐ オーナーからの解約は容易ではない

☐ サブリース業者から途中解約されるリスクがある

☐ 家賃の減額を交渉される可能性がある

☐ 入居者の選定での決定権がない

☐ 売却時に買い手がつかないリスクがある

うーん……。多少収入が減っても、安定して家賃が得られるならいい気もするけど……。

まあ、そういう考えもあるだろう。でもね、さっきも言ったけど、不動産投資の収入源は家賃がメイン。それが１〜２割も減ってしまうと、条件はかなり厳しくなるんだ。ただでさえ新築は高値に設定されてるし。

まあ、そりゃそうだけど……。

それにね、他のデメリットがかなりやっかいなんだ。見てもらうとわかるけど、解約が難しかったり、業者の方から途中解約されたり、減額交渉や転貸のリスク、さらには売却しにくいなどの問題もある。

……なんかこれって、業者にコントロールされているような……。

いいところに気がついたね。そうなんだ。サブリース契約を結んでしまうと、その物件の主導権は業者が握ることになる。もちろんオーナーが変わるわけじゃないけど、コントロールできなくなるのは問題だ。

🧑　しかも相手から解約されたり減額交渉されたりするとなると、こっちは気が気じゃない……。

🦉　そうだね。「家賃が保証されるから」と安易にサブリース契約を結んでしまい、それで後悔したりトラブルに巻き込まれたりするケースも少なくない。

🧑　トラブルって？

🦉　家賃の引き下げ、未払い、中途解約だけでなく、サブリース会社が倒産してしまうこともある。「30 年間の家賃保証」などを掲げている業者もあるけど、最終的には反故にされるケースも多い。たとえば、こんな事例があるよ。

＜サブリースの解約で売却が白紙＞

サブリース契約していた物件を売却することを決めた A さんは、サブリース会社との粘り強い交渉の結果、解約の合意に至ることができました。しかし、物件の売買契約締結後、引き渡しの直前に、サブリース会社の担当者が退職してしまいます。ほどなく、サブリース会社から

解約は認められない、と連絡を受けることになりました。その担当者を信用して、解約について正式な書面で合意書を作成していなかったため、新しい担当者との交渉は一向に進みません。これに時間がかかってしまい、売買契約の買主から、物件の購入は白紙にしたいと言い渡されてしまいました。サブリース契約を継承する場合、物件の利回りが悪くなってしまうことなどから、買主は購入を踏みとどまったようでした。

＜サブリースの減額交渉で収支が悪化＞

購入した物件について、10万円で5年間のサブ
リース契約を締結していたBさん。ある日、「収
支が悪化しているため、サブリース賃料を改定
したい」とサブリース会社から連絡を受けます。
もともとは相場が9万円の部屋でしたが、購入
時に収支を良くするために10万円でサブリース
契約を約束していたものを、サブリース会社は

7.5万円に値下げしたいと言います。収支プランが大きく変わってしまう
ため、この値下げについては拒否したBさんでしたが、サブリース会社は
解約を申請してきました。実は、物件には入居者がつかず、長期間にわたっ
て空室が続いていたようです。その後、現在の相場である8.5万円で物件
の運営を続けているBさんですが、もともとの家賃の10万円で収支計画
を立てていたため、毎月の収支は赤字になってしまいました。

あとから問題になることが多いんだ……。

そうだね。だからサブリースを利用したいのなら、事前に複数社を
比較したり、賃料査定の内容をチェックしたり、シミュレーションをきち
んと行っておく必要がある。もちろん、担当者との相性や業者の実績も見
ておくべきだよね。

なぜ不動産業者は自分で投資をしないのか

いろいろと問題点が見えてきたなあ。ところで、ちょっと気になったことがあるんだけど。

なんだい？

不動産業者から営業をかけられたときも思ったんだけど、どうして業者は自分で投資しないのかな。知識があるのなら、他人にやらせるより自分でやったほうがいいような気もするけど……。

もちろん、自分たちで投資している企業もあるさ。もっと言うと、本当にいい物件は市場に出回らず、自分たちで売買しているケースもある。それが業者の強みだね。

だよね。でも、それをしないということは……。

まあ、なんとなく想像できるとは思うけど、すべての物件が投資に値するとは限らないってことさ。厳しく見れば見るほどね。

わざわざ外に売り出してるってことは、それだけ業者のお眼鏡にかなわない物件ということか……。

もちろん理由はそれだけじゃないよ。不動産投資はローンを組んで物件を購入するのが基本だったよね。つまり銀行などの金融機関から融資を受けるわけだけど、マックスまで融資を受けている業者・投資家は、物件を購入したくてもできないよね。

融資に上限があるってこと？

業者や投資家個人の属性に応じてね。金融機関も返済してもらわな

きゃ困るわけで、相手の返済能力をきちんとチェックしているよ。まあ、それが「信用」というわけだね。

🙂　そういえば、サラリーマンの場合は年収制限があったような……。

😈　その人の属性や物件の条件、金融機関などによって異なるけど、目安となるのは 700 万円前後だね。

🙂　そっか。だから、業者やその関係者が自ら投資したくてもできない場合があるんだね。

😈　参考までに、投資物件を扱っている不動産会社の経営戦略についてもふれておこうか。彼らが目指しているのは、物件の仕入れから販売までのサイクルをできるだけ短くすること。そのほうが効率的な経営ができるからね。

🙂　ふーん。

😈　それに金融機関は、彼らに対し「与信枠」を設定している。つまり A 社には限度 2 億円、B 社には 10 億円など貸付できる限度を設定しており、限度を超えてしまう場合は在庫を売却するようすすめてくるんだ。

🙂　与信枠か。

😈　与信枠はその会社の信用力ともいえる。金融機関はできるだけ貸付先を多くし、分散することでリスクを回避したいよね。そのため、1 社に対する与信枠はできるだけ縮小し、取引先を多くしてトータルでの貸付残高を高める傾向があるんだ。だから不動産会社に対する融資枠は常に圧縮される傾向があり、彼らが買える不動産には自ずと限界があるってことさ。

🙂　だから販売にも力を入れるのか……。

投資用不動産を販売することで手数料や利ざやを稼いでいるんだね。

それでぼくのところにも営業に来たってわけだね。

彼らが狙っているのは、安定した職業についており、かつ一定の年収がある人だね。たとえば次のような属性の人だよ。

・大手企業勤務者（サラリーマン）

・公務員

・医師

・その他、投資家など

なるほど。不動産業者のやっていることがだんだんわかってきたぞ。

節税の仕組みと注意点（確定申告）

※ 本稿で解説している「節税の話」は、少し難易度が高いです。そのため、ちょっとでも難しいと感じた方は、読み飛ばして先に進みましょう。

　でも、ちょっと待って。たしか、営業マンから言われたことに「ワンルームマンション投資は節税になる」ってのがあったな。だから赤字でもいいと言ってたような気がするけど、実際はどうなの？？

　そうだね。じゃあ、次は節税について考えてみよう。まず、それが営業マンのセールストークだってことは理解しているよね。

　う、うん。

　じゃあ、それが具体的にどう機能するのかは理解しているかい？

　いや……ちょっとそこまでは。そういえば、確定申告がどうとか言っていたような……。

　そうだね。君は会社員だから確定申告についてもよく知らないと思う。まあ、簡単に言うと、収入に関する税金の申告のことさ。会社員の人は、会社が代行してくれているんだ。

　あれでしょ。年末調整とかのやつ。

　そうそう。ただ、不動産投資をする場合は「事業主」になるわけだけだから、確定申告が必要になるんだ。

なるほど……。

それでね、ここからが節税の話になるんだけど、所得税の仕組みについてはなんとなく理解しているかい？

いいえ。会社がやってくれてるので！

……いや、そこ威張るとこじゃないから。さて、日本はいわゆる「累進課税制度」を採用しているから、所得に応じて税金も決まる仕組みなんだ。参考までに、具体的な数字を確認しておこう。

※国税庁 https://www.nta.go.jp/taxes/shiraberu/taxanswer/shotoku/2260.htm

課税される所得金額	税率	控除額
1,000 円から 1,949,000 円まで	5%	0 円
1,950,000 円から 3,299,000 円まで	10%	97,500 円
3,300,000 円から 6,949,000 円まで	20%	427,500 円
6,950,000 円から 8,999,000 円まで	23%	636,000 円
9,000,000 円から 17,999,000 円まで	33%	1,536,000 円
18,000,000 円から 39,999,000 円まで	40%	2,796,000 円
40,000,000 円以上	45%	4,796,000 円

※ 別途、住民税が 10％かかる。

表からもわかると思うけど、課税される所得金額が小さくなればなるほど、税率も低くなるよね。ここに節税のポイントがある。

どういうこと？

不動産投資で赤字を出せば、給与を含めた投資家自身のトータル収入も減るよね。たとえ給料は変わらなくても、不動産投資で損失を出しているわけだから。

うんうん、それはわかる。

　とくに所得税や住民税は、不動産投資で発生した損益とサラリーマンとしての収入が「損益通算」される。だから節税効果を生むというわけさ。それにより、確定申告を経て税金の還付を受けることができる。

　ほうほう。

　それでもローンの返済は続いていくよね。だから、節税しながら、将来の資産形成もできるという仕組みさ。

　なーるほど。いいじゃん、それ！

　具体的な数字も確認しておこう。

+++ 所得税のシミュレーション +++

・600万円の給与所得にかかる**所得税**の計算

600万円× 20%（税率）－ 42万7,500円（控除額）

　　　　　　　　　　　　　= 77万2,500円（所得税額）

・家賃収入より経費が100万円高くなり、損益通算がマイナスになる場合の計算式

500万円× 20%（税率）－ 42万7,500円（控除額）

　　　　　　　　　　　　　= 57万2,500円（所得税額）

※ 損益通算によって、所得に100万円の赤字が発生したことにより、20万円の節税効果が生じる。

+++ 住民税のシミュレーション +++

・600 万円の給与所得にかかる**住民税**の計算

600 万円× 10%（税率）＋均等割額（通常）5,000 円

$$= 60 \, 万 5,000 \, 円$$

・家賃収入より経費が 100 万円高くなり、損益通算がマイナスになる場合の計算式

500 万円× 10%（税率）＋均等割額 4,000 円＝ 50 万 4,000 円

+++ 2 つのシミュレーションからわかること +++

→ **所得税**と**住民税**合わせて **30 万円**の節税効果。

　ということは、経費が大きくなればなるほど、節税効果が生まれるってわけだね。

　その分、費用を捻出する必要があるけどね。たとえば、次のような項目が不動産投資の経費になる。

・**不動産投資に関連する税金**：固定資産税、都市計画税、登録免許税、不動産取得税
・**管理費**：管理委託費、賃貸管理代行手数料、居住スペースの設備の保守管理や共用設備の清掃にかかる費用
・**修繕費**：入退去時の室内の修繕やリフォーム費用、物件のクリーニング費用、修繕積立金
・**損害保険料**：地震保険、火災保険

・**入居者募集のための費用**：不動産会社に支払う手数料、不動産広告の掲載料

・**その他**：減価償却費、ローン金利（利息）、税理士への報酬など

※ ローンの元金は経費にならない。また、土地にかかる利息については損益通算の対象にならない。

　このうち減価償却費は、実費を伴わない経費だから大きいよ。ここに不動産投資のうまみもあるんだ。

　でも、なんだか難しそう……。

　参考までに軽く紹介しておくよ。難しかったら「そんなものかなあ」と思っておけばいい。そもそも減価償却とは、簡単に表現すると建物や設備の経年劣化に対処するための代金のこと。建物や設備には耐用年数があり、減価償却を計算する際はその耐用年数を元に算出するんだ。この耐用年数に応じて償却率が設定され、年間の減価償却費を算出できる。例を挙げてみよう。

+++ 3000 万円の鉄筋コンクリートの新築マンションの減価償却費 +++

鉄筋コンクリート造のワンルームマンションの耐用年数は 47 年で償却率は 0.022、設備の耐用年数は 15 年で償却率は 0.067 になり、下記のような計算式となる。

本体の減価償却額　2,500 万円×償却率 0.022 ＝ 550,000 円 / 年

設備の減価償却額　500 万円×償却率 0.067 ＝ 335,000 円 / 年

合計　550,000＋335,000 ＝ 885,000 円

※ 建築部分のみで土地は含まれていない。この場合、減価償却として毎年 885,000 円の経費を計上できる。

🦉　ただし、減価償却の対象となるのは建物部分だけ。土地はならないよ。だから、土地と建物割合が明確でないケースも多いワンルームマンションの場合は注意が必要だ。減価償却については、後ほどあらためて説明するよ。

🧑　……。

🦉　ちなみに、相続税や贈与税の観点から言うと、基礎控除を超える部分の納税額を抑えたり、現金から不動産に組み替えることによって評価額を下げたりする効果も期待できる。税制上、現金等よりも不動産のほうが優遇されているからね。

タカシ：ふーん。それもメリットになるね。

🦉　ただし、そこに落とし穴もある。そもそも、赤字を出すということ

は収益が減るということ。それは本来の事業としては好ましい状態じゃない。しかもその節税効果にしても、最初の数年間だけだったり、本業の収入が減って厳しくなったりすることもあるんだ。

 うーん。

あとは、わずかな節税効果だけを得て、売却時には多額の税金が必要となったり、あるいはローンが組みにくくなったりなど、様々なデメリットがある。だったら、税金を払ってでも黒字経営をしたほうが、将来の資産形成になるよね。

騙されてしまう人の特徴とその対策

不動産投資って、けっこう複雑なんだなあ。

そうだね。知っておくべきことはたくさんある。だから継続的に勉強しなければいけないんだ。

忙しくて勉強できなかったり、そもそも楽して儲けようとしたりする人には向いてないかもね……（人のこと言えないけど）。

まあね。でも、君はこうして学びはじめてるんだから偉いよ。

……（鳥に褒められても……）。

一方で、騙される人は跡を絶たない。たとえば、「優良物件だから手付金だけ払って押さえましょう！」などと言われ、お金を払った後、音信不通になることもある。

それってただの詐欺じゃん！

悪質だよね。そうじゃなくても、「高利回りが約束されています」などとセールスされて物件を購入したものの、思うように利益が出なかったり、経費がかかって利益が少なかったりということもある。

うーん、それは詐欺じゃないけど、どうなんだろ。

投資はあくまでも自己責任と言われる。その点をつかれて、安易に決断してしまった人にも責任があるよね。

自己責任って、なんだか都合のいい言葉だなあ。

「情報の非対称性」とも言われるけど、そもそも不動産業者と一般の人では、得られる情報や知識に大きな差がある。それを認識しておかない

と、相手の言うことを真に受けて損をすることになりかねない。

　　世知辛い世の中だなあ。

　　だから理論武装ならぬ、知識や情報の"武装"が必要なのさ。ある意味では、事前にしっかり学べばいいとも言える。事実、不動産投資にもいいところはあるんだから。

　　それはワンルームマンション投資でも同じだよね。

　　そのとおり。不動産投資で騙されるケースに共通しているのは、投資家が不動産会社の言うことを鵜呑みにしていること。不動産会社は利益を出すためにさまざまなセールストークを使っている。その中には誇張が含まれていることも見抜かなければならないよ。

　　そういえば、前に事件があったよね。たしか、サブリースの問題だったかな。

　　サブリース契約を結んでいたのに、やがて賃料が払われなくなったケースだね。そうなると、オーナーは自分で入居者を探さなければならない。けど、条件が悪い物件だとそれも難しい。結局、投資家には"負債"だけが残ることとなる。

　　気をつけなくちゃ危ないね、不動産投資は。

　　そうさ。購入前に勉強するのはもちろん、君のようにすでに購入している場合も、売却や改善などの対策についてしっかり学んでいくことが大事だね。

不動産投資における失敗とは

🐱　不動産投資における“失敗”について、もう少し掘り下げてみよう。ここまでの話を踏まえて、君はどのような状態が“失敗”だと思う？

🧑　んーっと……。やっぱり、赤字の物件を購入してしまうことかなあ。

🐱　たしかに、それも一つの失敗と定義できるよね。たとえ節税目的で購入したとしても、その効果を継続的に得られないのであれば、ある意味「不良債権」を抱えているようなものだから。

🧑　そうなんだよね。

🐱　ただし、投資全体で考えると、その時点では失敗が確定しているわけじゃないよ。君の場合もそうだけど、現時点で失敗が確定しているわけじゃないだろう？

🧑　どういうこと？

🐱　つまり、まだ「売却」という手段が残されているということさ。

🧑　あ！

🐱　要は物件を売却した際に、「トータルで考えて投資に見合うリターンが得られているかどうか」をもとに、最終的な成功・失敗を判断してもいいわけだろ。

🧑　たしかに……。

🐱　ワンルームマンション投資には、「購入」「経営」「売却」というプロセスがある。だから売却後、利益が得られていれば成功、そうでなければ失敗とも捉えられる。この点は見落とされがちだから注意しておこう。

なるほどね。ちょっと気が楽になってきた……かも。

　　もっとも、売却にも様々なテクニックが必要になる。何も考えずに売り抜けようとしてもうまくいかないよ。だから、保有時の赤字もきちんとケアしておくことが大事だ。

　　そういうことか。

　　具体的な数字で確認しておこう。たとえば、ワンルームマンションを新築で購入した場合の収支例は次のようになる。

+++ 購入時の想定 +++

・**価格**：3,000 万円（頭金 10 万円）

・**返済期間**：35 年

・**金利**：1.5％

・**月返済額**：91,549 円

・**家賃**：105,000 円（経年で下落）

・**管理費・修繕積立金**：9,800 円（経年で値上げ）

　　事例の想定だと、投資後数年は家賃が高いからプラス収支になる。けど、１０年目以降は赤字になる計算だ。月々の返済額は変わらず、家賃が低下し、管理費が上昇するからだね。こうした点も踏まえて、シミュレーションしておく必要がある。

　　数字で見るとイメージしやすくなるね。

　　そうなんだ。だから数字をよくチェックしながら検討し、そこから

判断していくのが基本となる。それは不動産投資にかかわらず、どの投資についても言えることだよ。

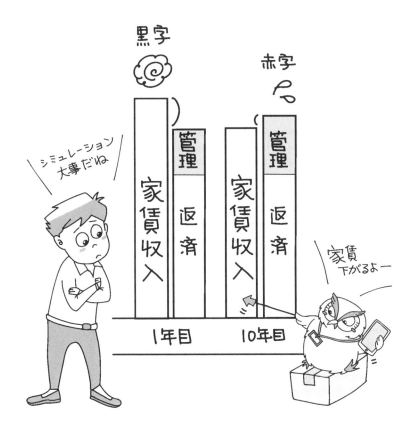

不動産投資における成功とは

 　今度は、ワンルームマンション投資における "成功" について考えてみよう。失敗の定義からすると、不動産投資における "成功" とはどういうことかわかるかい？

 　えっと……。毎月の収支がプラスになっているのと、売却時にも利益が出ること？

 　そうだね。もしくは、毎月の収支がマイナスでも、売却時の価格を踏まえてトータルでプラスになれば成功と言えるかもしれない。もちろん、節税効果や他の利点も含めて判断することもできるよ。

 　そっか……。

 　大事なのは、失敗と成功の定義を明確にしておくこと。営業マンから言われたセールストークだけで判断するのではなく、自分なりの軸をもって検討していくことが必要だね。

 　なるほどね。失敗と成功がイメージできれば、改善方法も見えてきそうだしね。

 　そのとおり。どんな状況でも、改善するための行動は可能だ。もっとも避けるべきなのは見て見ぬフリをすること。それでは、いたずらに状況を悪化させるだけだよね。

 　う……。

とくに投資においては数字が重要。資産形成のために行うなら、常に具体的な数字を見なければならない。その観点から、ワンルームマンション投資の成功を定義すると2つに大別できる。

+++ ワンルームマンション投資の成功パターン +++

・家賃収入が維持できているパターン（保有時にプラス）
・高値で売却できたパターン（売却後のトータル収支がプラス）

これならわかりやすいね。

言うまでもなく、ワンルームマンション投資は良い物件を手に入れることが重要だ。しかしそれだけでは不十分で、時間経過とともに起こる家賃の下落を避けなければならない。

ふむふむ。

家賃収入を継続的に得るためには、空室を徹底的に避け、しかも良い状態で維持しなければならない。それができない場合には、無収入の期間が発生したり、家賃減額のリスクを負ったりするよね。また、投資用不動産の売却先は多くの場合が別の投資家だ。そのため、売却先の投資家はワンルームマンションの収益性を徹底的に検討することも求められるんだ。

つまり、購入時はもちろん、保有しているときの対応が大事なんだね。

そういうこと。だから「購入・経営・売却」が不動産投資の成功に直結するんだ。

なるほどね。

より具体的な悩みで言うと、「空室が埋まらない」「修繕費・維持費の出費がかかりすぎる」「（思うような価格で）売却できない」などの問題に対処していくことが成功につながるよ。

詐欺への対処について

失敗と成功かあ。その視点は重要だね。あ、でも、詐欺にあっちゃったらどうしようもないよね。

もちろん詐欺は犯罪だ。だけど、たとえ明確な詐欺でなくても、"詐欺まがい"の営業手法をしている業者は存在する。それで騙されてしまい、大損する投資家もいるんだ。

たとえば、どんな手口があるんだろう？

そうだね、自己防衛するためにも確認しておこう。たとえば、次のような手法がある。

・**価格詐欺**：相場より高く買わされてしまう

・**手付詐欺**：手付金を支払ったあと、業者が倒産したり音信不通になったりする

・**サブリース詐欺**：契約後に賃料見直しや解約をされてしまう

・**架空賃貸詐欺**：入居者がいるように装って売却する

・**婚活・デート商法**：結婚やデートを装って出会い、投資を促す

・**買取保証付き**：「損失が出たら買い取る」と言い、実際には買い取らない

・**融資詐欺**：契約価格、審査書類、ローンなどで不正を行う

・**収支シミュレーション詐欺**：実際のリスクを矮小化し、収支シミュレーションをごまかして伝える

こんなにあるんだ……。

その他にも様々な手法があるよ。ただ、明確な犯罪にならないケースも多いから、投資家はあらかじめ注意しておく必要がある。事前に正しい知識を得ていれば避けられる可能性も高まるよね。

なにか、見分け方みたいなものとかあったりするかな？

悪徳業者にはいくつか特徴があるよ。たとえば、次のような点が挙げられる。

+++ 警戒するべき不動産会社の特徴 +++

・強引な営業スタイル

・不動産業の免許がない

・ホームページに代表者・社員の写真がない

・物件情報や取引相手を明確に表示しない

・代表者が定期的に変わる

あとは、投資家側としても「不動産投資の仕組みを勉強する」「納得できるまで質問する」「セカンドオピニオンを得る」「物件の適正相場を調べる」などを心がけたいよね。

もし詐欺にあったらどうすればいいの？

詐欺が疑われる場合は、監査官庁や不動産協会、あるいは弁護士への相談が基本になる。一方、不注意で騙されてしまったのなら、収支をプラスにするべく対処したり、早期の売却を検討したりするべきだね。

やっぱり、自分で対処していく必要があるんだね。

それが投資の基本だよ。リターンがあるんだから、当然リスクもある。その認識があれば、積極的に勉強しないのはおかしいとわかるよね。そこに不動産投資の前提があるのさ。

第4章

ワンルームマンション投資は 勉強が9割

新築のワンルームマンションが危険と言われる理由

🧑 ワンルームマンション投資は勉強が大事。ここまでの話で、そのことが痛いほどよくわかったよ……。

🧑 それが伝わっただけでも来たかいがあるよ。

🧑 しっかり勉強しておけば、ワンルームマンション投資もうまくいきそうだね。

🧑 もちろん、物件ごとの良し悪しはあるけどね。知識はあくまでも判断する指標だから、正しい情報を得ることがまず前提。そこから、投資の是非をきちんと判断していくことが大切だ。

🧑 判断……か。

🧑 判断と行動。それが求められる点は一般的な事業と変わらないよ。

🧑 投資家はオーナーなわけだし、ある意味経営者なわけだしね。

🧑 そうだね。だから、できるだけ良い条件の物件を購入し、適切に経営しながら、最適なタイミングで売却するための判断力と行動力が求められる。

🧑 なるほど正論だ。少しずつ、何をどう学べばいいのかがわかってきたような気がするよ。

🧑 それで言うと、そもそも"新築"のワンルームマンション投資は難しいと認識しておくことも大事だよ。

🧑 え！ どういうこと？

これまでにも説明してきたけど、不動産投資には「購入・経営・売却」という段階があるよね。そのうち最も大きな影響があるのは最初の「購入」なんだけど、その時点で新築ワンルームマンションには大きな欠点がある。

……たしか、利益が上乗せされてるんだっけ？

そのとおり。いわゆる「新築プレミアム」だね。こうした知識は、あらかじめ得ておかないと対処できない。買ってからではダメなんだ。

でも、新築だったら物件の価値もありそうだし、入居者からも高い家賃が得られそうだけど……。

「新築物件はブランドがあるし、長期的に見ると利益が出るだろう」と考えるのは危険だ。とくに新築プレミアがつく賃料は、初めの入居者だけしか適用されない。次の入居者からは家賃が大幅に下がる可能性がある。それに、新築物件に誰も住んでいなくても一年経過すると自動的に中古扱いになるよ。

そうなんだ！　知らなかった……。

こうした知識も前提として知っておくべき事柄だ。そのような要点を踏まえて、「成功するためには何が必要か」「失敗しないためにはどうするべきか」などを考えていこう。

そこに勉強するべき事柄のポイントがありそうだね。

成功するための考え方

正しい知識を得るには、土台となる考え方が必要だ。つまり君が言ったように、ポイントを踏まえて「何を学ぶべきか」を知ることも重要なんだ。

土台となる考え方？

そうさ。言い換えると「勘所を押さえる」ということ。専門的な内容や枝葉末節ばかり学んでも仕方ない。別に、不動産関連の資格をとるわけじゃないからね。あくまでも、不動産投資に必要な知識を効率的に学ぶ姿勢が求められる。なぜなら、ほとんどの投資家は本業があったりして忙しいからだ。

たしかに……。ぼくもそれを言い訳にしてきたわけだけど……。

でも、それは自分のためにならないだろう？

うん。臭いものに蓋をしてただけだったよ……。

だから勉強する。でもその勉強も、闇雲に行うのではなく、土台となる考え方を踏まえて効率的に学習していくべきだよね。

そうだね。

「できない」「時間がない」などと諦めるのではなく、「やるべきだ」「どうしたらできるか」と考える。そこから効率が生まれるんだ。

なるほど……。じゃあシンプルに、「どうしたら成功するか？」を突き詰めていけばいいのかなあ。

ある意味ではね。たとえば、ワンルームマンション投資で成功率を上げるポイントは次のとおりだ。

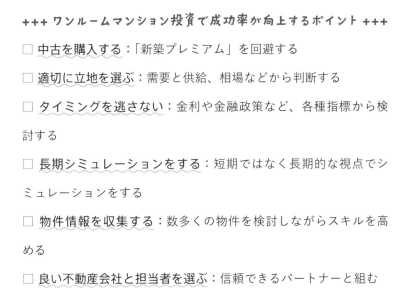

+++ ワンルームマンション投資で成功率が向上するポイント +++

□ 中古を購入する：「新築プレミアム」を回避する

□ 適切に立地を選ぶ：需要と供給、相場などから判断する

□ タイミングを逃さない：金利や金融政策など、各種指標から検討する

□ 長期シミュレーションをする：短期ではなく長期的な視点でシミュレーションをする

□ 物件情報を収集する：数多くの物件を検討しながらスキルを高める

□ 良い不動産会社と担当者を選ぶ：信頼できるパートナーと組む

ふむふむ。

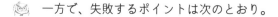　一方で、失敗するポイントは次のとおり。

+++ ワンルームマンション投資で失敗するポイント +++

□ シミュレーションが甘い

□ 営業をかけられて衝動買いしている

□ 購入会社やサブリース契約を過信している

　と、いうことは、物件の選定やタイミング、情報収集、あとはシミュレーションや業者選びについて学んでおけば、成功しやすくなりそうだね。

　そういうこと。それがすべてではないけど、購入前や購入時には、そうした知識について学んでおきたいよね。

2 種類の赤字について

🐱　ここで、シミュレーションの部分を少し掘り下げてみよう。不動産投資の収益は、主に「（家賃）**収入－諸経費**」から求められる。これが基本。その数字が赤字になった場合の「損益通算」についてはすでに説明したよね。覚えているかい？

🧑　えっと……。たしか、不動産投資で発生した赤字を、収入全体（給料など）から差し引けるんだっけ？

🐱　そうだね。その結果、課税所得が減少することとなり、節税効果を生むんだ。ただ、この場合の赤字にも2つの種類があることを確認しておこう。

🧑　どういうこと？？

🐱　1つは「帳簿上の赤字」で、もう1つは「キャッシュフロー上の赤字」だね。どちらも赤字には変わりないんだけど、次のような違いがあるから注意しておこう。

・**帳簿上の赤字**：帳簿（損益計算書上）は赤字になっているが、キャッシュフローは黒字になっている状態

・**キャッシュフロー上の赤字**：帳簿上だけでなく、実際のキャッシュフローもマイナスになっている状態

🧑　うー。なんか急に難しくなってきた……。

難しく考える必要はないよ。たとえば帳簿上の赤字は、出費を伴わない支出である減価償却によって、損益精算書上のみマイナスになっている状態だ。実際のお金の出入り（キャッシュフロー）は黒字になっているから、手元資金が減ることはない。

　　減価償却は、時間が経つにつれて不動産の価値が減っていくことを踏まえ、その分を経費にできる仕組みだったよね。

　　そのとおり。よく覚えていたね。だから実際の支出は伴わない。その減価償却によって赤字をつくり、損益通算して節税になるのなら、投資する価値があるとも考えられるよね。ただし、赤字のうち土地を取得するために要した借入金利子に対応する金額は、損益通算できない点に注意しておこう。

　　じゃあ、キャッシュフロー上の赤字は？

　　キャッシュフロー上の赤字は、文字通りキャッシュフローで赤字が出ていること。つまり出費がかさんで諸経費が大きくなり、家賃収入を上回っている状態だね。こちらは大いに問題がある。

　　どうして？？　損益通算すれば節税になるじゃん。

　　節税にはなるかもしれないけど、手元のお金も減っていく。節税した以上に手元資金が減ってしまえば元も子もないだろ。

　　あ、そっか……。

　　自己破産の話もしたと思うけど、キャッシュフローが悪化した先にある最悪の状態は支払い不能だよ。とくに、次のような原因で赤字になっている場合は注意したい。

□ 空室が埋まらずに赤字が続いている

□ 金利の上昇によって返済額が増えた

□ 管理費・修繕積立金の値上げによって支出が増えた

□ リフォームや設備の交換で一時的な支出が多い

□ そもそも家賃収入よりローン返済額の方が多い

　購入前のシミュレーションでは、ぜひこうした点を踏まえて、しっかりと精査しておきたいね。

初期費用のもとをとるには

😶 シミュレーションもそうだけど、購入前に判断する指標みたいなものってあったりするのかな？

😈 不動産投資にかかわらず、あらゆる投資は「投資した資金を何年で回収できるか？」という視点で評価されているよ。いわゆる「CCR（自己資金配当率：Cash on Cash Return）」だね。

😶 CCR？

😈 そう。具体的には、物件に投下した自己資金に対する、年間のキャッシュフロー割合のことだよ。この数字が大きいほど、投資効率が良いことを意味しているんだ。CCR100％なら1年で自己資金を回収、CCR25％なら4年で自己資金を回収になるよ。計算式は次のとおり。

CCR（自己資本収益率）＝

（ATCF）税引き後年間手残り÷（E）自己資金

😶 投資効率、か。

😈 不動産投資にも「購入・経営・売却」という流れがあるけど、それぞれの段階だけでなく、最終的な数字（利益）がどうなっているのかを投資金額から考えるのが大事だ。投資の基本は、「いかに少ない資金で大きな収益を得られるか」にあるからね。

　うーん、なるほど。

　言い換えると、「この投資対象（物件）は、投資金額（初期費用）のもとをとれるかな？」という視点が重要なのさ。とくに不動産投資は物件購入に数百〜数千万円のお金が必要だ。だから大部分はローン（アパートローン）でまかなうわけだけど、物件購入以外にも仲介手数料や登記費用などの諸経費が物件価格の７〜８％かかる。つまり、物件購入価格以外にも数百万円単位での初期費用が必要になるため、回収には時間がかかるんだ。

　それを計算しておく必要があるんだね。

そういうこと。そうした発想が長期のシミュレーションにつながる
よ。仮に物件価格が 5,000 万円で 9 割が融資とした場合。初期費用（全額
の 1 割）＋自己資金で 850 万円〜 900 万円の資金投下が必要だ。その初
期費用を、おおむね「5 〜 10 年」で回収できる物件がどうかを見ておく
といい。

5 〜 10 年という期間に何か根拠があるの？

1 つは譲渡税の問題がある。売却した不動産の所有期間が 5 年以内
の場合は「短期譲渡所得」で税率は 39.63％。所有期間が 5 年を超える場
合は「長期譲渡所得」で税率は 20.315％になる。この違いは大きいよ。
ちなみに長期譲渡の判断は「1 月 1 日の所有者」であるため、お正月を 6
回迎えた年が長期譲渡に切り替わる年になる。

そっか。売却時の税金も踏まえてってことか。

そういうこと。また、長く持ちすぎると不確実性が高くなるから、
おおむね 5 〜 10 年の運用を視野に「トータルで利益が最大化する」タイ
ミングで売却をするのが理想なんだ。

投資判断がもたらす成功と失敗

やっぱり、シミュレーションが大事なんだなあ。

ここまでの話をよりイメージしやすくするために、新築ワンルームマンション投資で失敗した人の事例を見てみよう。

＜新築ワンルームマンション投資の事例＞
30 代地方公務員の A さんは、妻、子どもとの 3 人暮らし。ある日、知人の紹介で新築ワンルーム投資について話を聞く機会があり、「団信に加入すれば生命保険に入る必要もなくなる」「節税対策としても有効」といったセールストークを聞き、家族に相談することもなく購入を決断。1 年が過ぎた。

その頃、ワンルームマンションの経営は当初思ったほどの利益が出ず、収支はマイナスに転落。そんなとき、自宅に届いた固定資産税の納税通知を妻が目にして、A さんが投資をしていたことが露見。収支がマイナスであることも知られ、物件を売却してほしいと頼まれることに。ただ、購入から 2 年で物件を売りに出そうと見積もりを取るが、ローン残金と比較して売却額が 600 万円ほど低い結果となる。自己資金ではこの差額を用意できず、結局両親に借金をして売却することになった。

うーん、かなり悲惨な状況だね。この人は事前の見立てが甘かったんだろう。シミュレーションもしてなさそうだし。

……。

ん？　どうかした？

いや……。まあ、君の言うとおりさ。だから客観視することが大事なんだね。

？？

いずれにしても、よく検討せずに新築ワンルームマンションを購入すると、大きなマイナスだけが残ることも多い。また購入後の対策としても、「管理会社の変更」「ローンの借り換え」「繰り上げ返済」などの対策がとれないと厳しいよね。

まさに「購入」と「経営」の部分だね。

そう。一方で、「購入・経営・売却」の部分も含めてシミュレーションをし、適切に投資判断していると、次のような結果を得ることも可能だ。

＜自己資金利回り（CCR）を黒字にして成功＞
サラリーマン大家のＡさんは、中古のマンションを購入。節税効果などは期待せずに、月額のキャッシュフローを黒字にするように、頭金を多めに自己資金をいれて投資を開始した。自己資金の利回りを10％以上にできれば問題ないと考え、家賃でローンを返済する計画。結局10年間で事業収支は一度もマイナスにはならず、無事に売却。家賃収入と売買損益の合計で、年利7％になった。

さっきの事例とは雲泥の差だね。

そうだね。「購入・経営・売却」という流れを踏まえてきちんと検討すれば、このような投資も可能なのさ。

ワンルームマンション投資をやめるには

　ところでさ、ずっと気になってたことがあるんだけど……。

　なんだい？

タカシ：不動産投資って、途中で「やっぱや〜めた」みたいなことってできないかな？

　……。

　だってさ、つい口車に乗せられて買っちゃうこともあるだろ？　仕事が忙しいとか、将来が不安とかさ……。

　気持ちはわかるけど、それができれば誰も苦労しないよ。やっぱり投資は自己責任が基本だから。

　う……。だ、だよね……。

　ただ、クーリングオフはできるよ。

　おお！　クーリングオフって、購入したものを「やっぱやめます」って言えるやつだよね！

　（ずいぶんアバウトだな……）。まあ正確には、いったん申し込んだ契約について再考できるよう、一定の期間内であれば無条件で申込みを撤回・解除できる制度だよ。特定商取引法で決められているんだ。

　不動産の場合は？

　不動産の場合、宅建業法 37 条の 2 に宅地建物売買のクーリング・オフが定められているよ。具体的には次のような場合に、書面によって申し込みの撤回や契約解除ができる。

□ 宅建業者が売主であること

□ 事務所や関連建物以外で契約を結んでいること

□ クーリングオフの説明を受けてから 8 日以内であること

□ 不動産の引き渡しやお金の支払いを済ませていないこと

な〜んだ。不動産もクーリングオフできるんじゃん。

でも、期間としては8日以内だから、君の場合は無理だけどね。あとは、相手が契約の履行に着手する前であれば、支払った手付金を放棄する「手付解除」などもあるよ。これもまあ、今の君には関係ない。

……（別に期待してないけど）。

だから、すでに購入して一定の期間を経過している場合、それ以外の方法を考える必要がある。つまり、不動産投資のやめ方を検討するんだ。本来であれば、「出口戦略」として、購入前に考えておくべきだけどね。

もし事前に考えていなかった場合、みんな、どんなときに検討しているんだろう？

いわゆる"投資のやめ時"としては、「空室が多い状況が続き、改善の見込みがたっていないとき」「ローンの返済が完了したとき」などがあるよ。前者は損切り。後者は積極的な売り抜けだね。

ふーん、なるほどね。

いずれにしても、事前に出口戦略を考えておいて方が有利なのは間違いない。やっぱり、投資全体の流れを踏まえた計画が大事なのさ。

出口戦略の考え方

🦉　ワンルームマンション投資における出口戦略についても確認しておこう。繰り返しになるけど、本来は購入前に検討しておくべき事柄だからね。

🐹　……。

🦉　さて、まずは前提として、不動産投資は所有しているときだけでなく、出口（売却）も踏まえて計画を立てることが大事。そこまではいいね。

🐹　うん。もう耳タコだよ……。

🦉　よろしい。それができないのは、物件の（短期的な）利回りやキャッシュフローに気を捉われてしまい、長期的な視点が持てないからだ。もちろん、営業マンのセールストークを鵜呑みにしてしまうのも NG だよ。

🐹　……そこまではオッケー。

🦉　その上で、物件ごとにインカムゲインとキャピタルゲインを試算しておきたい。インカムゲインは短期ではなく中長期の収益状況を。とくに家賃収入だけでなく管理費、修繕積立金、固定資産税などを差し引いた差益を見ておくこと。キャピタルゲインは周辺相場やタイミング、経年劣化による価格下落も含めてチェックしておこう。

🐹　期間としては、5〜10 年ぐらいで売却するんだっけ？

🐹　そうだね。すでに述べているように、譲渡所得の問題があるから 5〜10 年ぐらいが目安になる。その期間を軸に、売却後に利益が大きくなるよう投資を検討するのが出口戦略の基本だ。

　ところで、売却時も含めた計算方法とかあったりするの？

　たとえば、売却までを含めた "もとがとれる推定期間" の算出方法として「IRR（Internal Rate of Return：内部収益率）」がある。つまりこれは、売却価格まで含めた全期間の利回りのことだ。IRR がプラスであれば売却までの元がとれており、IRR がマイナスであれば元がとれていない状態になる。

　それって簡単に計算できるの？

　計算自体は難しい。ただ、エクセルなどの表計算ソフトを利用すれば簡単だ。エクセルに初期投資費用、1 年目キャッシュフロー、2 年目キャッシュフロー……売却までの数値を入力し、IRR を表示させたいセルを選択した上で「=IRR（投資開始から売却までの期間を選択）」を入力すると表示される。

　それならできるかも。仕事でエクセル使ってるし。

　ただ、難しいのは売却価格の設定だ。数年先にいくらで売れるのかは、プロでも正確に判断できるとは限らない。そこで、現在の相場から売却価格を設定し、税金などを差し引いた金額を入力しておこう。保有年数に応じて IRR の数値を比較することで、売却までの元がとれる保有期間の算出ができるようになる。

　たとえ時間がかかっても、ローンを完済してから売りたいと思っちゃうけど……。

　あまりに長期で資金回収を試算するのは、避けるべきだ。予測が難しくなり、不確実性のリスクが高まるからね。それに投資効率から考えて

も望ましくない。また、「お金の時間的価値」という観点からもそう言える。

🧑　お金の時間的価値？

🦉　現在の 100 万円と 10 年後の 100 万円では、お金の利用度から、現在のほうが価値が高いとされる。そのため 5 年後に 300 万円の利益が見込める物件と、30 年後にならないと 300 万円の利益が見込めない物件では、前者の方がいい物件と判断できるんだ。

🧑　なるほど。たしかに、できるだけ早く資産を確保した方がいいもんね。

🦉　そういうこと。そのような視点も含めて、出口戦略を考えていくべきなんだ。ここまでの内容で、不動産投資に関する基礎的な学習は終了だよ。今度は、君自身の物件について見ていこう。

第**5**章

解決策 ①
物件の状況を改善させよう！

改善の基本

🦊　これまでの内容を踏まえて、君が保有している物件をどうすればいいか、一緒に考えてみよう。

😊　待ってました！

🦊　まずは確認から。現状、君はワンルームマンションを２つ所有していて、そのいずれもが赤字になっているんだったね。

😊　そうだよ。そこまでは間違いない。

🦊　赤字額はトータル１万円ほど。そのうちの１つが５年以上保有しており、もう１つがまだ３年ぐらいか。

😊　みたいだね（忘れてたけど……）。

🦊　さて、そもそも不動産投資における改善手法は大きく３つある。次のとおりだ。

□ 事業拡大（追加購入）
□ 経営の見直し
□ 売却

🦊　このうち「事業拡大」とは、不動産投資におけるトータル収支を踏まえて、新たな物件を追加購入することだ。それで赤字額をカバーするという発想だね。

😊　そんなことできるの？

　　融資枠に余裕があったり、あるいは所有している物件を担保にしたりすれば可能だ。

　　うーん。２つ目の物件を購入した時点でそれなりの融資額になっているはずだし、これ以上大変になるのはちょっとなあ。

　　それなら、残る選択肢は「経営の見直し」と「売却」だね。どちらも状況はそれほど変わらないようだから、税金面を踏まえて、１つは経営の見直し、もう１つは売却が良さそうだ。前者を「物件Ａ」、後者を「物件Ｂ」としておくよ。

　　わかった、それでいこう！

　　このあと詳しく見ていくけど、経営の見直し（運用収支の改善）には次のような方法があるよ。

　　□ 空室対策
　　□ 家賃改定
　　□ 利回り改善
　　□ 繰り上げ返済
　　□ 集金代行・サブリース解約
　　□ 修繕費や管理費の検討

　　結構たくさんあるね！　売却の方は？

　　売却は、物件の状況や市況、タイミング、相場や査定額などを踏まえて進めていくことになる。必要となる費用や査定方法などについても

知っておくことが大切だ。

できることがたくさんあるのは良いことだね！

……めずらしく前向きだな。

だって、状況を改善できるのは良いことじゃないか！

そのとおり。目の前の厳しい状況を悲観するのではなく、前向きに変えていこうとする姿勢が大事だ。そのような姿勢で行動すれば、経営環境も改善するし、不動産投資家自身も成長していけるよ。それではまず1件目について、経営の見直しをしていこう。

運用収支を改善するための 2 つの軸

🦉　ここからは、これまでに学んだ内容を復習しながら、具体的な改善案について検討していこう。

😎　オーケー！

🦉　そもそも不動産投資のキャッシュフローは「収入－経費」が基本だったよね。このうち、収入より経費の方が大きくなれば赤字になる。

・収入 > 経費 → **黒字**

・収入 < 経費 → **赤字**

😐　当然だね。

🦉　……。減価償却分で帳簿上の赤字をつくる節税メソッドもあるけど、君の物件はどちらもキャッシュフローが赤字になっているね。ここに問題がある。

😟　そうなんだよね……。

🦉　だから「収入を大きくする」か「経費を小さくする」ことが、赤字の解消につながるよ。この 2 つが経営改善（経営の見直し）の基本だ。

😐　ふむふむ。シンプルだね。

🦉　それぞれ「収入改善」「経費改善」として、具体的な改善手法をチェックしていこう。まずは収入改善から。たとえば、不動産投資の収入には次のようなものがある。

・**家賃**：入居者から支払われる賃料

・**更新料**：契約期間を更新する場合に入居者から支払われる。相場は家賃1か月分

・**礼金**：賃貸借契約を結んだときに入居者から支払われる。相場は家賃1か月分

　あれ。たしか「敷金」ってのもあったような気がするけど。

　たしかに敷金も礼金と同じタイミングで支払われるけど、家賃滞納の補填や退去の際の修理費に当てられるもので、残った分は入居者に返還する。だから収入には含まれない。

　なるほどね。

　収入改善では「収入を増やす」ことを目指すから、上記のうち、どれをどのように増やせばいいのかを考えてみよう。

　えっと……。更新料も礼金も、家賃の１か月が相場なんだよね。だったら、家賃がキャッシュフローの全体を左右するんじゃないかな。

　そのとおり。家賃、すなわち入居者から毎月支払われる賃料が増えれば、不動産投資の収入自体が増えるよね。それが収入改善の土台なんだ。

　やっぱり家賃が大事なんだ……。

　正確には「入居者の獲得」と「家賃の額」という２つの軸がある。家賃収入は入居者がいてこそのものだよね。そもそも入居者がいないのなら、入居者を獲得するために「空室対策」をする必要がある。順番に見ていこう。

収入改善①空室対策

まず、物件Ａの入居状況はどうなっているの？

えーっと……。業者から送られてきた資料によると、入居者が居たり居なかったりする状況が続いているみたい……。どうも、長くは住んでもらえてないようだね。

ワンルームマンションにはよくあることだね。学生や社会人などの単身者が利用してるから、環境の変化によって住まいも移ってしまう。そ

こにファミリー向け物件との違いがあるよ。現在の入居者は？

ちょうど出てったみたいで、今は募集中。

ということは空室だね。空室だと家賃収入がゼロになる。だから、なるべくこうした状況が継続しないよう、空室率を高める工夫をしよう。

どうやって？？

まず、長期空室になりやすい物件の特徴は次のとおり。

+++ 長期空室になりやすい物件の特徴 +++

☐ 賃貸募集の条件が悪い：相場より高い

☐ 物件設備が古い：カーペット、畳、電気コンロ、3点ユニットバスなどがある

☐ 残念な内装工事：クロスの張替えが未完了、クリーニングが未実施など

☐ 管理会社の業務怠慢：リフォームの見積が遅い、募集開始が遅いなど

条件面と設備、内装、それに管理業者の対応について確認する必要がありそうだね。

そうだね。新築だからといって万全とは限らない。やはり投資家自身がきちんとチェックし、管理監督する必要がある。その上で、次のような空室対策を行おう。

+++ 空室対策の一例 +++

□ 入居者の負担軽減

□ 設備を増やす、リノベーションする

□ ターゲットの見直し

□ 管理会社を再検討する

　まず、賃貸募集の条件が悪いのであれば改善するべきだ。具体的には、入居者の負担を軽減するべく敷金や礼金の値下げや廃止を検討しよう。たとえ収入が減ったとしても空室よりはマシだからね。ただし、家賃の減額はトータル収入や入居者の質などに大きな影響があるから、最終手段にするべきだ。

　入居してもらうためにあえて敷金や礼金を工夫する。「肉を切らせて骨を断つ」って感じだね。

　うまいこと言うね。あとは、一時的な出費を覚悟して設備を増やしたり、リノベーションしたりするのも効果的だ。その際には、どのような人に需要がありそうかを考え、ターゲットを見直すことも忘れずに。

　ターゲットごとに求められるものが違うのかな？

　そうだね。たとえば女性の単身者であればオートロックや監視カメラ、宅配ボックスなどのセキュリティは必須になる。部屋ごとの対策には限界があるけど、配慮することが大切だ。そこから、必要な設備やリノベーションの内容も見えてくるよ。

　なるほどねー。

　あとは、家具やインテリア、無料インターネットなど、単身者に好まれるサービスもある。コスパを踏まえて検討しよう。

　そのあたりは費用との兼ね合いかなあ。あと、管理会社や仲介会社の再検討については？

　とくに分譲販売を中心の事業にしている会社が賃貸管理している場合、賃貸はあくまでもアフターサービスだ。だから、どうしても管理業務が疎かになる。また、規模の大きい会社では、１人が３００室近くの管理物件をかかえておりリソースが避けない。その結果、適切な募集活動ができていない場合もあるんだ。そういったところをチェックし、管理会社を再検討することで空室率が下がることもあるよ。

収入改善② 家賃改定

（🐱）　次に、家賃について考えてみよう。家賃は、不動産投資の収入において中心となるんだったね。

（👦）　うん。毎月積み重なっていくし、礼金や更新料の基準にもなるんだったよね。

（🐱）　そうだね。だから家賃をどうするのかきちんと考えなければならない。安易に値下げするのは危険だけど、入居状況を考えて柔軟に対応する必要がある。

（👦）　うーん……。

（🐱）　考え方の基本としては、「購入したときが最も高く、経年によって下落していく」ということ。だから、長期的な家賃収入は減少するものなんだ。

（👦）　そうなんだ……。

（🐱）　だから、購入時点で収支バランスがギリギリだと、その後の収支は悪化することが想定される。とくに新築の場合は、購入後10年経過すると、家賃が約20%減少するとも言われているよ。

（👦）　20%も!?　それは大きいね……。

（🐱）　よく不動産の営業マンが「好立地だから家賃下落リスクはがありません！」と喧伝することもあるが、家賃下落のリスクは立地だけでは決まらない。所有する物件より、さらに好立地の場所に新しい物件がたくさん建つなどして、家賃を下げざるを得ないこともある。

（👦）　そうしなくちゃ入居してもらえないんだね。

そういうこと。とくに新築のワンルームマンションでは、購入時は「新築のプレミアム」によって家賃が高めに設定されている。でも、入居者が入れ替わる度に家賃は下落していくんだ。家賃下落によって当初想定していた収入が得られず、結果的に終始バランスが悪化していくのさ。

それは厳しいなあ……。

あとでも確認するけど、それは「家賃保証」をつけていても同じだよ。結局は減額されることになる。

そうだったのか……。

空室が続いているのなら、下げてでも入居者を獲得した方がいい場合もある。でも、それで収支のバランスが崩れてしまえば、保有している物件も赤字になる。家賃保証がない場合は、そうした観点を踏まえて、自分で家賃を検討していく必要がある。

徐々に下げざるを得ないってことだね。

そういうこと。本来は、それに耐えられるかどうかもシミュレーションをしておくことが大事だ。

ただ物件Aについては、家賃保証がついているみたい。しかも、すでに減額されてる……。

それなら、家賃改定というより家賃保証の方を見直す必要がありそうだね。

収入改善③ 利回り改善

🦉 　あとは、入居率を安定化させるために、なるべく入居者が退去しないような工夫をしよう。

🐻 　それは、積極的に入居者を獲得するというより、入居してから出ていかないようにするってこと？

🦉 　そうだね。すでに解説した空室対策は、主に入居者の獲得につながるものだ。もちろん、中には長期入居につながるものもあるけど、ここからはとくに「退去者を減らすための施策」について見ていこう。次のような施策があるよ。

　　+++ 退去者を減らす工夫 +++

　・室内のリフォームを十分に行い、設備は定期的に交換する

　・優秀な賃貸管理会社（※）を利用する

　・トラブル対応を迅速にする

　※入居者が利用している部屋（専有部分）の管理会社

🐻 　リフォームとか設備の交換も大事なんだね。

🦉 　そう。少しでも長く住んでもらうために、リフォームしたり設備を定期的に交換したりなど、居心地を良くする工夫が大事だよ。

🐻 　なるほど。ケチってはいけないんだね。

🦉 　そうだね。とくに昨今は物件が供給過多で、入居者の方が物件を選

べる時代なんだ。だから他の物件と比べて見劣りする状態は避けたい。大家業は「サービス業」と認識するべきだね。

　　トラブル対応については？

　　やはり、入居者からの問い合わせに迅速に対応することが大事だね。ただ、業者に委託するのが一般的だから、優秀な賃貸管理会社を選ぶことが大切だ。

　　そっか。今まで、どの管賃貸理会社でもいいと思ってたけど、それが入居者の維持にも関係してたんだね。

　　そうだね。ポイントは、入居者の視点になって考えてみること。どういう対応をすれば入居者が「ここに長く住みたい」と思ってもらえるかを常に考えよう。そして、そのための対策をとるんだ。

　　どんな賃貸管理会社を選べばいいのかな？

　　とくに、退去時にリフォームや設備交換を節約しすぎる業者には注意が必要だ。そうなると、中途半端なリフォームになったり、古い設備を使用し続けたりすることになりかねない。それだと入居者の不満につながるよね。そうではなく、入居者のことをきちんと考えてくれる賃貸管理会社を選ぶようにしよう。

　　それが結果的に、入居者の維持につながるんだね。

　　そういうこと。入居者が定着してくれれば、それだけ収益も安定する。つまり利回りが改善するということさ。

　　やっぱり、ネットとかでチェックすればいいの？

　　それが基本だね。ホームページなどを見て実績を調べてみよう。も

ちろん、直接担当者にヒアリングすることも大事だ。口コミなども参考になるよ。それと、物件を購入した会社に惰性で賃貸管理を任せるのはやめたほうがいい。不動産業界では、売買と賃貸では住み分けが進んでいるから、得意分野の業務を任せるようにしよう。その点を踏まえて、一旦見直したほうがいいかもね。

なるほどね。よーし、わかった！　いい賃貸管理会社を探すぞ！

ただし、管理を任せきりにしてはダメだよ。こちらからも密に連絡をとり、報告や情報共有をしてもらう必要がある。そのためには、担当者との相性やコミュニケーションスキルも見ておこう。

経費改善① 繰り上げ返済

　ここからは「経費改善」について見ていこう。

　収入の改善に対する、経費の改善だね。いくら入居者を獲得したり入居率を安定化させたりしても、そのぶん経費がかかったら元も子もないもんね。

　そういうこと。まず、不動産投資の経費には次のようなものがあるんだったよね。おさらいしておこう。

　　+++ 不動産投資の経費 +++
- 管理費・修繕積立金
- ローン返済額
- 賃貸管理手数料
- リフォーム・設備交換費用
- 固定資産税・都市計画税
- 火災保険料

　えーっと……。そうそう。なんとなく覚えてるよ。

　収入改善では「いかに収入を増やせるか？」にフォーカスしたけど、経費改善では「いかに経費（支出）を減らせるか？」を考えていく。イメージとしては“バケツの水”だ。

　バケツの水？

そう。収入改善では、バケツに水を入れることについて考えた。言わば、バケツを大きくしたり、バケツに入る水を多くしたりする方法を検討したんだけど、もしそのバケツに穴があいていたら、結局は水が貯まらない。この水とはつまり君自身の"資産"だね。イメージできるかい。

んー、なんとなく……。

つまり、入る方（収入）と出ていく方（支出）を踏まえて、貯まる水（資産）が決まるってことさ。

なるほど。家賃と経費、収入と支出か。

これも、あらゆるビジネスに共通する基本さ。もちろん、物件を買い増してバケツを増やしてもいいんだけど、それだと資金が必要になる。だから今はバケツの穴を小さくすることを考えよう。

オッケー！

では、経費の中から減らせそうなものを検討してみよう。何があるかな？

そうだなあ。固定資産税金とか火災保険料なんかは節約できなそうだし……。

そうだね。たとえば、ローン返済額についてはどうかな。

えっ。それって減らせるの？

実はそうなんだ。でも、どうしたら減らせると思う？

うーんと……。ローンの返済って、たしか「元金」と「金利」からなっているんだよね。これらを減らすには……。

そのための方法が「繰り上げ返済」だ。簡単に言うと、自己資金を使っ

てローンを先に（繰り上げて）返済する手法だね。それによって、キャッシュフローを改善したり、返済期間を短縮したり、総返済額を減らす効果もあるよ。

　　すごい！　いいじゃん、繰り上げ返済。

　　ただし、預貯金を削ることになるから判断は慎重に。また、手数料がかかる場合もあるよ。その点、事前にシミュレーションをした上で、実際の返済額を決めていくといい。

　　+++ 繰り上げ返済の流れ +++

　・シミュレーションを行う

　・返済額を決定する

　・返済方法を検討する（返済額軽減型・期間短縮型）

　・申請書の提出（金融機関）

　・指定口座への入金あるいは引き落とし

　　返済方法には 2 種類あるの？

　　そうだね。「**返済額減額型**」は、返済期間を変更せずに毎月の返済額を減らす方法だ。キャッシュフローの改善になるよ。また「**期間短縮型**」は、月々の返済額を減らさずに期間を短縮するもの。当面のキャッシュフローは変わらないけど、総返済額の圧縮になる。

　　うーん、ちょっと難しいなあ……。実際の数字はどうなるんだろう？

　　それでは、シミュレーションを見てみよう。

＜繰り上げ返済のシミュレーション例＞

・当初の借入元金：2,500 万円

・借入期間：35 年

・金利：初回から 1.5％

・返済方法：元利均等返済

・購入後 5 年で 300 万円の繰り上げ返済を行う

当初借入金	25,000,000 円
当初借入期間	35 年
返済済み期間	5 年
返済方法	元利均等返済
金利	1.5%
毎月返済額	76,546 円

返済額軽減型

→ 月々の返済額を約 1 万円減らすことができる。

毎月返済額	66,169 円
残り返済期間	30 年
減少する利息額	725,092 円

期間短縮型

→ 返済期間を 5 年ほど短縮可能。利息額は約 150 万円減少。

毎月返済額	76,546 円
残り返済期間	25 年 1 か月
減少する利息額	1,529,049 円

なるほど。それぞれにメリットがありそうだね。

投資の継続を見越したキャッシュフローの改善をしたいなら、返済額軽減型。一方で、手持ち資金に余裕があるなら期間短縮型を選択し、利息を節約するのもいいだろう。

あとは貯金との相談になりそうかな。

ちなみに、返済条件を改善する方法としては「ローンの借り換え」もあるよ。つまり金融機関の変更だね。それにより、有利な金利条件が得られることもあるよ。様々な方法を検討し、もっともメリットが大きい方法を選択するようにしよう。

経費改善② 集金代行・サブリース解約

さて、その他にはどんな経費が節約できると思う？

うーんと……。気になってるのは賃貸管理に関する手数料かなあ。

なるほど。でも物件Ａはサブリースを利用してるわけじゃないよね？

うん。どうやらサブリースは使ってないようなんだけど、「集金代行」は利用してるんだ。

集金代行ね。

まあ、入居者に対して「家賃お願いします」って言うのも大変だし、入金管理もめんどくさいからお願いしてるんだけど……。でも、実際はどうなんだろう？

君は、最初からその利点を知って契約したの？

いや〜。実は、まあ、なんとなく……。

だと思ったよ。そもそも集金代行は、入居者との対応を代行会社がおこなってくれるというメリットがある。ただ、毎月 3 〜 5% 程度の手数料を支払わなければならないんだ。

けっこう取るよね。

そうだね。そもそも利回りが低いワンルームマンション投資の場合、この数字が響いてくる。本当に必要かどうかをシビアにチェックして、再考した方がいい。

そうだね……。ちょっと確認してみます……。

自分で入居者の対応ができる場合は、集金代行の解約も選択肢のひ

とつだ。

わかった。ところでさ……。

なに？

サブリース契約を結んでいた場合、その解約も視野に入ったりするの？

保証される家賃の水準次第だね。トラブルも多いサブリースだけど、相場に適した家賃がきちんと保証されているのなら利用し続けた方がいい。空室リスクを減らせるからね。

入居者の有無にかかわらず家賃が保証されるのはでかいよね。

ただ、保証金額が相場賃料よりも極端に安かったり、家賃がきちんと支払われなかったりするのなら、解約も視野に入る。市場の相場を定期的にチェックし、メリットのある契約となっているかを確認することが大事だ。

やっぱり、状況ごとに判断するべきなんだね。

そういうこと。一見、便利に思えるようなサービスも多いけど、それが収益を圧迫しているケースも多い。だからこそ、正しい知識を得て、自分でその都度判断するべきだ。数字が悪いときこそ、冷静に状況を分析し、判断していこう。

経費改善③ 修繕費や管理費の検討

　それから、修繕費やリフォーム代の出費が多い場合は、それらの費用を検討してみるといいよ。

　修繕費やリフォーム代かー。とりあえず、業者に任せてるからなあ。問い合わせがきて「じゃあ、それでお願いします」って感じで。もちろん、ちょっとした設備の故障とかしかないけどね。

　でも、その度にそこそこの出費があるんじゃない？

　そうなんだよ……。でもまあ、仕方ないのかなって……。

　もちろん、必要な修繕はやむを得ない。ただ、その分の費用については慎重になるべきだ。たとえば、複数の業者と相見積もりをとったり、できることに関しては自分で対応したりしたい。

　その発想はなかったなあ……。

　手間をかけないのも大事だけど、費用をかけないことも重要だ。だから、何でも業者に任せているのはよくないよ。

　そうか……。なんか「ほったらかし」っていう部分にこだわってたかもしれない。

　君の場合は仕事も忙しいしね。でも、自分の投資案件は自分でチェックする必要がある。すべてを他人任せにしてはダメだよ。

　そうだよね……。それじゃあ、経費がいたずらに増えていくだけだろうし……。

　そういうこと。これからは、何らかの修繕が必要になったら、複数

社で見積もりをとったり自分でできることはないかなどを確認したりしよう。

はーい。頑張って経費削減するぞ！

あとは「管理費」の部分だね。

えっ。管理費って節約できるの？

もちろん簡単ではない。けれど、下げられる場合もあるよ。とくに
管理費は、修繕費などの「変動費」と違って「固定費」だから、できるだ
け減らす努力をしたいよね。

それが減らせれば収益も改善するけど……具体的にはどうすればいいの？

まず、ワンルームマンションを購入すると、自動的に「管理組合」のメンバーになる。君もそうだろう。

……たぶん。

管理組合の総会では、修繕積立金や管理費の規約変更などの話し合いが行われる。その際に、決議が取れれば、管理費・修繕積立金の値下げも可能だ。

そうか！　組合だから決議なんだね。

簡単にできるわけじゃないけど、まずは状況を把握した上で提案してみよう。

決議さえとれればすぐに管理費が下がるの？

多くの管理組合はマンションの管理を専門の管理会社に業務委託している。だから組合の総会で決議されれば、管理会社自体を変更するなどして、管理費をおさえることもできるよ。

へえー。そんな方法があるんだね。

売却の基本

🦉 さて、物件Aは主に改善手法について検討してきたけど、物件Bは売却を視野に入れて考えてみよう。

😐 売却か……。せっかく買ったのに、ちょっともったいない気もするけど……。

🦉 その気持ちはわからなくもないよ。ただ、投資においては「サンクコスト（埋没費用）」についても考えるべきだ。

😐 サンクコスト？

🦉 サンクコストとは、将来的に回収できないコストのこと。すでに費やしてしまった費用や時間、あるいは労力を惜しんでいると、これから先さらに損失が広がってしまうだけなんだ。

😐 うーん、たしかに……。

🦉 投資の"損切り"は難しいけど、改善の見込みがない物件はどこかの段階で決断しなければならない。お金の問題もそうだけど、新しい投資をするための時間や労力も失うことになるからね。

😐 そりゃ、そうだよね……。

🦉 では、先に進んでいこう。まず、不動産の売却には「仲介会社（第三者）に入ってもらう方法」と、「業者に直接買い取ってもらう方法」がある。このうち、一般的な売買仲介は次のような手順となる。

+++ 一般的な売買仲介の手順 +++

1. 不動産事業者に売却査定を依頼

2. 査定結果が出る

3. 不動産会社の選定と媒介契約の締結

4. 売り出し価格を決定

5. 売り出し（売却活動）

6. 買い手が見つかる

7. 必要に応じて価格や諸条件を交渉する

8. 売主と買主が合意する

9. 売買契約締結・手付金授受

10. 決済・物件の引き渡し

おおむね、「査定」「業者の選定」「価格決定」「売り出し」「売却＆引き渡し」って感じかな。

そうだね。仲介だと複数の手順があるから、それぐらいシンプルに考えるとわかりやすいと思うよ。

業者の買取については？

業者買取の場合は、査定結果に合意したらすぐに買い取ってもらうことができる。

じゃあ、そっちの方が簡単じゃん！

たしかに買取の方が簡単そうに思えるけど、不動産事業者は再販売のために様々なリスクを負うため、仲介よりも 2 〜 3 割ほど価格が下がるのが一般的だ。

なるほど。価格面でちょっと不利なんだね。

だから、とくに早期に売却したいという意向がなければ、仲介によって売却先を見つけるのが一般的なんだ。

売却を決断するために

🙂　仲介は手順が多いし、業者買取は売却価格が低くなりそうだし、売却ってやっぱり大変だね。なんだか、このまま持ち続けた方がいいような……。

😼　君のように考える人は少なくない。事実、売却の検討をはじめても、途中でやめてしまう不動産投資家もいるんだ。でも、本当にそれでいいのかい？

🙂　物件Aでやったみたいな改善をすればいいかなと……。

😼　そうそううまく改善できるわけじゃないよ。それに早期売却によって状況を改善できることも多いし。じゃあ、ここであらためて、売却のメリット・デメリットを確認しておこうか。

🙂　お願いします……。

😼　まず、収益物件を売却するメリットには次のようなものがあるよ。

+++ 売却のメリット +++

・物件を現金化できる

・ローン債務が圧縮できる

・リスクから解放される

😼　このうちローン債務が圧縮されれば、負担軽減や自己破産の回避につながる。あるいは、将来の自宅購入時にも有利になるよ。よく「独身の

ときから不動産投資を始めていたために、住宅ローンが通らない」という
ことがあるんだけど、それもなくなるね。

げっ！　そんなことがあるんだ！

住宅ローンを二回組むようなものだから当然だ。だから収入面での
ハードルがある。けど、物件を売却すればそれもなくなるだろう。もちろ
ん、売却価格にもよるけどね。

そこのところもう少し詳しく……。

住宅ローンに限らず借入には、金融機関ごとに「年間総返済額が年収の一定割合以下」という年収負担率が決められているんだ。その基準を超過してしまえば審査が通らない。もしくは審査に通っても借りられる金額が限定されてしまう。

あ、それは困るかも……。

とくに住宅ローンの審査時には、他に借入がないかどうかも審査されるからね。また、金融機関によっては既に借りているローンを完済しなければ住宅ローンが通らないケースもあるよ。

そうなんだ……。じゃあ、赤字のまま持ち続けていると厳しいね。

物件Aの場合は改善の余地があったけど、とくに物件Bは空室が続いていて厳しそうだからね。さらなる物件の価格変動や老朽化によるコスト増などを避けるためにも、ここで売却を経験しておくことも大事だと思うよ。

なるほどね……。ちなみに、売却のデメリットはある？

たとえば、収益がある物件ならそれがなくなったり、取引コストがかかったりするよ。あるいは、安い価格で売却してしまうなどの失敗事例もある。ただそれらは、事前によく調べて検討しておけば回避できるはずだ。

うーん。やっぱり事前の準備が大事なんだね。

物件の売却と損切りの考え方

　🦉　どうだい？　売却を決断できそうかい？

　🧑　気持ちはほぼ固まってるんだけど、まだ不安も残ってるんだよね……。ところで、売れない物件もあったりするのかな？

　🦉　そうだねえ。中には売れない物件もあるよ。そもそも買い手がつかなかったり、あるいはたとえ買い手がついたとしても、その相手が資金を用意できなかったりね。

　🧑　どうしてそのような事態になるの？

　🦉　理由としては、販売価格やランニングコストが高かったり、あるいは融資が下りなかったりするためだね。

　🧑　せっかく決断しても、売れなかったら困るなあ……。

　🦉　ただし、大事なのは売却のための行動をとりつつ、売れない場合には必要な修正をしていくことだ。これも一つの経験だからね。具体的には、売却価格を下げたり、物件の価値を高める努力をしたりすればいいんだ。

　🧑　なるほど。できることはあるってことだね。

　🦉　そうだね。もちろん、どうしてもという場合には買取業者に買い取ってもらうことも選択肢の一つだ。そのようにして、損切りを実行していくんだね。

　🧑　そういうことか……。たしかに、将来のコストやリスクを考えると、多少の痛みは仕方ないのかもね。

とくに、目先の損失にばかり捉われていると、中長期的な損失が見えなくなる。たしかに不動産は資産になるけど、空室が続いているワンルームマンションを所有しているのは危険だよね。

そこなんだよね、問題は。

中でもワンルームマンションは、入居者がいなければ賃料収入が完全にゼロになる。空室がまともに跳ね返ってくるという意味では、空室リスクが大きいという弱点があるんだ。また、減価償却できる額も少ないため、帳簿上の赤字による節税効果も大きくない。

そうそう。そうだったよね。

だから、キャッシュフロー上の赤字に陥っており、今後も安定的に入居者が得られそうにないなら、売却などで処分したほうが良い結果に終わる確率が高い。ワンルームマンションは空室の期間が続けば続くほど損が累積していくため、早期に損切りを判断することが重要なんだ。

わかったよ……。まずは、少しずつ先に進んでみよう。

査定価格について

　　売却の手順でも確認したけど、一般的な売買の仲介ではまず「査定」というステップを踏む必要がある。

　　査定って、物件の価格を決めるってこと？

　　厳密には、提示された査定額を見て仲介先の不動産会社を選定し、媒介契約を締結してから売り出し価格を決定するよ。だから査定額は、その前段階での試算ということ。よりよい業者を見つけるべく、複数の不動産会社から出してもらおう。

　　ふむふむ……。目安とかあるのかな？

　　「約3か月以内に売却できる目安価格」が基本だ。ただし、実際の成約価格は査定より高くなる可能性も低くなる可能性もある。査定価格が高いからといって、確実に高く売れるわけではないんだ。

　　どうして？？

　　不動産の売買は相手があってこそだからだよ。売主に売却理由やタイミングがあるのと同じく、買主にも購入する理由や状況があるんだ。

　　そっか。売り手がいて、買い手がいる。そうやって物件も売買されるんだね。

　　そう。だから提示された査定価格に一喜一憂するのではなく、売出価格の参考、現時点での目安として捉えよう。より高く売りたい場合は、相場よりも高く買ってくれる買主が見つかるまで待てばいい。

　　なるほどねえ。売却もなかなか奥が深いね。

そうさ。定価のある商品とは違いがあるよね。だから相場をチェックしておく必要がある。

相場かあ。

査定は通常無料だから、何社に出しても問題ない。査定したからと言って、絶対に売却しなければならないルールはないよ。最近では、インターネット上で自動査定してくれるサービスもある。

それなら気軽にできるね。

まずは、次のようなサイトを利用して一括査定してみよう。

+++ 一括査定サイトの一例 +++

・HOME4U

・リガイド

・マンションナビ

・イエウール

・リビンマッチ

・すまいステップ

いろいろなサイトがあるんだね。

そうだね。査定の際には、次のような視点を持つようにしよう。

・根拠のある査定で相場観を認識する

・具体的な提案で売却活動をしてくれる会社を探す

・安心できる取引を履行する

つまり、その査定に根拠があるかどうかを見ながら、きちんと活動してくれる業者や安心できる取引を目指していくってこと？

そうだね。少なくとも、目先の査定価格だけで判断するのは避けたい。売却は長期戦になることも多いし、大きなお金が動く取引でもあるからね。

ちなみに、個人情報の入力とかめんどくさいんだけど、そういうの抜きに査定とかできたりする？

「匿名査定」というサービスがある。匿名査定なら、個人情報を伝えることなく机上での査定を依頼できるよ。ポータルサイトが間に入るタイプもあれば、不動産会社が独自に行なっているものもある。

ふーん。それ、いいかもね。

匿名査定は一般的には次のような流れで行われる。

・サービスサイトやチャットで物件概要を入力する

・査定結果を確認する

・詳しい査定を依頼したい場合は、その旨を伝える

サービスによっても異なるけど、査定結果は即日〜3日で完了する。連絡先を知らせずに利用できるため、不動産会社から直接営業の連絡がく

ることはない。自分のペースで売却を進められる。ただし、査定額はあく
までも参考程度にしておこう。

業者の選定と媒介契約の締結

😐 　査定価格が出揃ってきたら、いよいよ業者の選定だね。

😈 　そうだね。でも、安易に「一番高い査定を出した業者に決めよう」などと考えるのは NG だよ。

😐 　ギクッ（そうしようと思ってたのに……）。

😈 　よくあるのが、「一番高い査定を出した業者に任せているのに、なかなか売ってもらえない」という事例だ。

😐 　そうなの！？

😈 　ああ。業者の中には、「まず査定額で勝たなければ選んでもらえない」と考え、必要以上に高額を提示してくるところもある。中古車や引越しなどの業者と同じだね。けど、提示額が業者の力量を示すとは限らないだろ？

😐 　たしかに……。サービスの良し悪しとか実績も重要だしね。

😈 　そういうこと。しかも物件の売却は、実際に売れなければ意味がない。査定額の高さはそこに落とし穴があるんだ。

😐 　じゃあ、どうやって選べばいいんだろう。

😈 　選定の際には、「いつまでに買主の手応えを確認してもらえるのか」「手応えが悪い場合は、募集価格を下げるべきという認識か」などを確認しよう。期間や金額に対する考え方を知れば、その業者の良し悪しも見えてくるよ。あとは、君が言ったようにサービス品質や実績、口コミなどをチェックしておこう。

😐 　業者の規模などで違いとかあったりするのかな？

もちろんできることの違いはあるけど、結局は担当者に左右されることも多い。参考までに、大手業者と投資マンション専門業者の違いを確認しておくといい。

大手不動産業者と投資専門会社の比較表

	規模	業務速度	売却価格	投資マンションの購入見込み客数	一棟ビル、アパートなどの購入見込み客数	土地、戸建ての購入見込み客数	投資マンションに対する営業熱意
投資マンション専門業者	×	○	○	○	△	×	○
大手不動産業者	○	×	△	× (積極的に投資を扱いたがらない)	○	○	× (金額が小さいため)

そっか。専門業者ならではの強みもあるんだね。

そうだね。ここまでの話を踏まえて、よい不動産会社を選ぶ際のポイントを確認しておこう。次のとおりだ。

☐ 投資ワンルームマンションの取引実績が多数ある

☐ 具体的な購入見込み客を持っている

☐ レスポンスが早く丁寧

☐ 他社と比べて査定価格が高すぎない

☐ 営業手法が具体的であり、プロセスの説明ができる

☐ 強引な交渉をしない

☐ 会社や担当者など情報が公開されている

オッケー。えっと……、依頼先が決まったら媒介契約を結ぶんだっけ？

そう。媒介契約には次の3つの種類があるよ。

+++ 媒介契約の種類 +++

・専属専任媒介契約

売却活動を1社だけに依頼する契約。専属専任媒介契約を結ぶと、他の不動産会社に売却活動を依頼することや、売主自身で買主を見つけることができない。一方で不動産会社は、専属専任媒介契約締結から5日以内に、REINS（レインズ）と呼ばれる不動産会社同士の物件情報流通サイトに物件情報を掲載し、1週間に1回以上の頻度で、売主へ売却状況の報告を行わなければならない義務を負う。

・専任媒介契約

専属専任媒介契約と同様に、売却活動を1社にだけ依頼する契約。ただし、専任媒介の場合は売主が自ら買主を探すことが可能。また不動産会社は、専任媒介契約締結から7日以内にREINSに物件情報を掲載誌、2週間に1度は、売却活動の報告を行わなければならない。

・一般媒介契約

複数の会社に同時に売却活動を依頼することができる契約。当然、売主自らが買主を探すことも可能。ただし、REINS への物件情報の掲載や、決まった頻度での状況報告といった不動産会社の義務もない。

　３つの種類か。どうやって選べばいいんだろう？

　不動産会社は、売却が完了する際に仲介手数料を請求し、それが不動産会社の収益になる。つまり、複数の会社に依頼する一般媒介では、広告費などをかけて売却活動を行っても他社で売却が決まってしまえば無報酬なんだ。そのため、専属専任や専任媒介契約を選択することで、不動産会社も売却が決まれば報酬が確定しているため、一生懸命売却活動をしてくれると思われるよ。

　じゃあ、専任の方がいいのかな？

　ただし、売却する不動産に需要がある場合は、一般媒介契約で複数の不動産会社に依頼することで、複数の買主候補が見つかり、より高い値段で売却できるかもしれない。それぞれに一長一短があるため、不動産会社にも相談しながら慎重に検討しよう。

　難しいね……。

　迷うようなら、最初は専任媒介で一定期間依頼をし、それで決まらない場合には一般で複数社に広げていくといいよ。そうすれば、業者の力量も見極められるし、いざというときには切り替えられるしね。

相場と売り出し価格の捉え方

🧑 一括査定をしてみたんだけど、どの不動産会社も似たような価格になってるみたいだね。これはどうしてなの？

🐺 一括査定サイトでの査定金額が横並びになる理由は、不動産会社が同じ査定方法を用いているためだよ。

🧑 同じ査定方法？

🐺 そうだね。まず、不動産の査定方法には主に次のようなものがある。

- **取引事例比較法**：多数の取引事例から価格を割り出す方法
- **原価法**：当該物件の再調達価格をもとに価格を割り出す方法
- **収益還元法**：当該物件が将来生み出すであろう収益から求める方法

🧑 なるほど。いくつか種類があるんだね。

🐺 そうだね。それぞれ計算式があるんだけど、原価法と収益還元法は計算が難しく、また実際の取引相場と乖離してしまうケースが多い。そのため、取引事例比較法が一般的に利用されているんだ。

🧑 だから査定価格が似通っちゃうってこと？

🐺 そういうこと。業者によっては過去の取引事例から AI が試算しているところもある。けど、結果的には似た数値になるよね。

🧑 ちなみに、自分で調べる方法ってあったりする？

🐺 次のようなサービスを利用すれば調べられるよ。きちんと相場を踏

まえて試算している会社なら、数字はそれほど変わらないはずさ。

・REINS Market Information：全国指定流通機構連絡協議会が運営するウェブサイトで、東日本不動産流通機構、中部圏不動産流通機構、近畿圏不動産流通機構、西日本不動産流通機構が持つ、成約価格や所在地域といった取引情報を検索することができる

・**土地総合情報システム**：国土交通省が運営するウェブサイトで、取引価格、地価公示・都道府県地価調査の価格情報を検索できる

じゃあやっぱり、過去の実績やサービスの質、口コミ、それから担当者との相性で選ぶしかないか……。

それがいいだろうね。あとは実際の売値だけど、最初は査定額の1割ぐらい高値で設定するといいよ。そこから状況を見て下げていけばいい。

なるほどね。売れなかったら下げることも可能だもんね。

うん。上げるのは難しいけど、下げればより決まりやすくなる。もちろん、価格の詳細は不動産会社の担当者にもきちんと相談するようにしよう。

売却時の費用と必要書類

　　当然、売却には様々な費用がかかる。また、必要書類もたくさんあるんだ。

　　そっか……。やっぱり売却って大変だね。

　　それぞれ確認しておこう。まずは費用だけど、次のようなものが必要となる。

+++ 売却にかかる費用 +++

☐ 仲介手数料

☐ 売買契約書に貼付する印紙代

☐ 抵当権抹消費用

☐ ローン返済手数料

☐ 登記名義人表示変更登記費用

☐ 賃貸管理解約違約金（集金代行やサブリースを利用している物件の場合）

☐ 預かり敷金（オーナーチェンジの場合）

☐ 譲渡所得税・住民税

☐ 消費税（※消費税の課税事業者の場合）

　　仲介手数料は、言わば不動産会社の報酬なんだけど、価格に応じて上限が決められているよ。

・**200 万円以下**：（取引物件価格（税抜）× 5％）＋消費税※

・**200 万円〜 400 万円以下**：（取引物件価格（税抜）× 4％＋ 2 万円）

＋消費税

・**400 万円超**：（取引物件価格（税抜）× 3％＋ 6 万円）＋消費税

※ 消費税を 10% で計算

　たとえば、売買価格が 2000 万円だった場合、66 万円に税金を加えた 72 万 6000 円が仲介手数料になるよ。

　そうやって計算されるんだね（結構とられるなー……）。

　また印紙代も、売買価格に応じて金額が決められているよ。国税庁の HP などで最新の情報をチェックしておこう。

　なるほどね。

　それから、抵当権抹消費用はローンを完済したあとに必要な費用だね。残債があるときには、売却代金から一括返済することになるけど、そのときに司法書士に依頼するよ。明確な規定はないけど、3 万円ぐらいが相場になる。

　ふむふむ……。

　あとは、ローン返済手数料は残債元本の 0.3％が一般的だ（返済期間が短い場合は 2％近く発生することも）。また、賃貸管理の解約に違約金がかかるケースもある。金額は契約内容によって異なるから注意しよう。預かっている敷金があったりするならその分の費用も必要だね。

　税金もかかるんだよね。

そうだね。減価償却の問題も絡んでくるから、後で詳しく説明するよ。その他、必要に応じてリフォームやハウスクリーニングも必要になる場合があるから注意しておこう。

売却にもお金がかかるんだなー……。ちなみに、売却価格よりもローン残金の方が多い場合でも売却できるんだっけ？

できなくはないよ。その差額分と経費を用意できればね。たとえば、次のようなシミュレーションを参考にしてほしい。

1,700 万円の物件を売却した場合、ローン残金（1,800 万円）

仲介料	(17,000,000 × 3% +60,000)+ 消費税※ 627,000 円
印紙代	10,000 円
抵当権抹消費用	30,000 円
ローン返済手数料	100,000 円
賃貸管理会社解約手数料	70,000 円
預かり敷金	70,000 円
合計	907,000 円

※ 消費税を 10% で計算

ローン残金は物件の引き渡し時に一括返済します。
成約価格がローン残債を下回る場合は、不足部分を自己資金など用意し、完済する必要があります。資金が用意できない場合は、売却できません。
ローン残債が 1800 万円、売却価格が 1700 万円、売却費用が 90 万円で、成約した場合は差額の 190 万円が必要になります。

ローン残債	△ 1,800 万円
売却価格	1,700 万円
売却費用	△ 90 万円
差額	▲ 190 万円

売却のモチベが下がっていく……。

ただし、売却によって返金される費用もあるんだ。たとえば、次のようなものが挙げられるよ。

□ 固定資産税・都市計画税の精算金：日割り計算で返金

□ 管理費・修繕積立金の精算金：日割り計算で返金

□ ローン保証料の返金：返金率は金融機関によって異なる

□ 火災保険料の返礼金：売却後の期間に応じて保険料が返金

あ、戻ってくるお金もあるんだね。これはラッキー！

（まあ、たいした額じゃないんだけど……）。それから、必要書類についても確認しておこう。

+++ 売却・引き渡し時の必要書類等 +++

□ 権利証または登記識別情報：謄本ではないので注意が必要

□ 実印と印鑑証明書：ローンの一括返済時にも必要となる

□ 本人確認資料：免許証など

□ 賃貸借契約書、入居者情報

□ 鍵

□ 固定資産税・都市計画税の納税通知書

加えて、必ず必要ではないんだけど、買主に渡した方がいい書類もある。一例を挙げておこう。

　□ 物件パンフレット

　□ 付帯設備の取扱説明書

　□ 管理組合の議事録

　　そっか。こういう資料があれば、買った人もなにかと便利だもんね。

　　そういうこと。

　　ちなみに、売買契約書や領収書など、各種書類は大切に保管しておくこと。それらは確定申告で必要になるよ。

減価償却と確定申告について

🐱　売却時の必要経費に関して、税金については飛ばしてたよね。ここであらためて確認しておこう。

🧑　うわー。なんだか難しそうだなあ……。

🐱　確定申告も絡んでくるからしっかりチェックしておこう。不動産投資に関する税金については、減価償却や節税のところで少し説明したよね。覚えているかい？

🧑　うーんっと……。結局は、収入が多くなればそれだけ税金もかかるってことだよね？　だから不動産投資で赤字を出せば、トータルの税負担が減るんだったかな……。

🐱　（アバウトだなあ……）まあ、その理解で間違いない。そしてそれは売却時も同じなんだ。

🧑　どういうこと？

🐱　不動産投資の節税で問題になるのはキャッシュフローだったよね。つまり、保有しているときに得られる家賃収入から諸経費を差し引き、収益が赤字になれば、給与などからマイナスできるんだったよね。いわゆる「損益通算」の仕組みだ。それで節税になる。

🧑　そうそう。でも、手持ち資金が出ていくのは良くないんだよね。

🐱　そうだね。だから減価償却という仕組みを活用し、資金の持ち出しがないかたちで経費計上＆節税するのが理想なんだ。

🧑　なるほど。だんだん思い出してきたよ。

　　その発想は物件売却時でも変わらない。つまり、売却益（譲渡所得）が大きくなればなるほど税金もかかるってことさ。

　　どのくらいかかるのかな？

　　まず、重要なのは、売却価格の全体が税金の対象になるわけじゃないってこと。売却価格から費用（取得費用や譲渡費用）を差し引いた「譲渡所得」が税金の対象だよ。

売却利益（譲渡所得）＝売却代金（譲渡収入金額）－（取得費用＋譲渡費用）

　　このうち譲渡費用は、すでに紹介した仲介手数料や印紙税などの諸経費だね。

　　じゃあ、取得費用というのは？

　　取得費用は、物件を購入した際の購入代金や仲介手数料、登記費用、さらには購入後に手を加えた内装設備費などを指すよ。

+++ 取得費用の一例 +++

☐ 土地や不動産の購入代金や建築費用

☐ 購入時にかかった印紙税

☐ 仲介手数料

☐ 測量費、整地費

☐ 設備費　etc.

ちょっと待って。購入代金が差し引かれるなら、売却利益は残らなくない？　だって、買ったときより高く売れるなんてそうそうないでしょ。

その可能性が高いよね。ただし、購入時の物件価格がそのまま差し引かれるわけじゃないんだ。減価償却を加味して、その分を購入代金から差し引いて計算するよ

あ、そういうことね。

だから毎年の確定申告で減価償却をしていないオーナーは、取得時の売買契約書などから建物価格を求め、減価償却を計算して申告する必要があるよ。具体的には、次のような計算式で求められる。

減価償却費＝購入価格（取得価格）× 0.9 ×償却率×経過年数

		居住用の不動産 （マンション、戸建てなど）		事業用の不動産 （投資マンション・ビルなど）	
		耐用年数	償却率	耐用年数	償却率
建物の構造	木造	33 年	0.031	22 年	0.046
	軽量鉄骨	40 年	0.025	27 年	0.038
	鉄筋コンクリート	70 年	0.015	47 年	0.022

※平成 19 年 4 月 1 日以降に取得した建物で、投資用不動産であれば 0.9 は乗じません。
※ただし、実需であれば取得時期にかかわらず 0.9 を乗じます。（本書執筆時点）

＜計算例＞

鉄筋コンクリート造の投資用マンションを 2,000 万円（うち土地代金は 1000 万円）で購入し、10 年持っていた場合。

1,000 万円（建物代金）× 0.9 × 0.022（償却率）× 10 年（経過年数）
= 198 万円（減価償却費）

この減価償却費を、購入代金（2,000 万円）から差し引いて残った 1,802 万円が取得費用に含まれる購入代金となる。

それから、譲渡所得は期間によって税率が大きく変わるんだったよね。これも説明したはずだけど。

えっと……短期と長期のやつ？

そうそう。5 年以下の場合が「短期譲渡所得」で約 39％、5 年超が「長期譲渡所得」で約 20％だったね。物件を売却した年の 1 月 1 日現在の所有期間が基準となるから注意しよう。

そうだったね。

上記を踏まえて、ケーススタディを見てみよう。

+++ ケーススタディ +++

2007 年 5 月に 2,000 万円で購入した投資ワンルームマンションを 2019 年 4 月に 2,100 万円で売却した場合。確定申告の際に、譲渡所得にかかる税額はいくらか。

・取引費用（仲介手数料や登記費用を含む）：100 万円
・過去の減価償却費の累計 240 万円

1）譲渡所得を計算

2,100 万円 −｛（2,000 万円 − 240 万円）＋ 100 万円｝＝ 240 万円

2）税額を計算

240 万円 × 20％ ＝ 48 万円（所得税・住民税）

なるほどね。こうやって税額が計算されるんだ。

譲渡後は、税務署から「譲渡所得がある場合の確定申告のお知らせ」が届くよ。必ず返信するようにしよう。

はーい。

また、利益が出ている場合は確定申告が必須だけど、利益が出ていなくても他の物件の売却損を含めて節税したい場合は、損失を相殺できるからやはり確定申告したほうがいい（ただし、この場合は、事業所得や給与所得など他の所得との損益通算はできない点に注意が必要※）。

※ 参考（国税庁）
https://www.nta.go.jp/taxes/shiraberu/taxanswer/joto/3203.htm

売却前後のトラブルを避けるために

売却前後には、思わぬトラブルに巻き込まれることもあるから注意が必要だよ。

えっ！　そうなんだ……。たとえばどんなトラブル？

よくあるのは、業者による囲い込みだね。事実、自社の利益を最大化する目的で顧客を囲い込むケースが散見される。とくに「売却を依頼するとき」と「売却依頼の後」に囲い込みが発生しやすいから注意が必要だよ。

具体的にはどうなるんだろう？

それでは、依頼時と依頼後に分けて事例を見てみよう。

＜依頼時の囲い込み事例＞

Aさんは当初、3社に査定してもらう予定だった。最初に足を運んだ会社の査定金額は2100万円。そこでAさんが「この後2社に話をする予定です」と伝えると、担当者に「いま専任で決めてもらえれば高値で購入する方を紹介できます」と言われ、押し切られる形で依頼を出すことに。売出し価格は2200万円だったのだが、最終的には少し下げて2000万円で売却することになった。

＜依頼後の囲い込み事例＞

不動産会社に投資用ワンルームマンションの売却依頼をすると、通常は不動産のポータルサイトに広告を出したり、レインズに登録したり、他の不動産会社にも声をかけてなるべく高くかつ早く好条件の買主を探して売却が成功するよう努力するもの。しかしBさんが相談した会社は、情報を外

に出さず、自社のみで案件を囲い込んでしまった。その結果、「なかなか
申し込みが入らない」などと嘘の報告をされ、「価格を下げてほしい」と
交渉されることになった。

こんなトラブル事例があるんだね。やっぱり、名の知れた大手企業
に任せた方がいいのかな？

そうとは限らない。会社の規模ではなく、担当者レベルで判断して
いくことが大事だ。

どうやって判断すればいいの？

ホームページやチラシの文言、あるいは過去の実績などをよく確認
しておこう。根拠のない査定価格や強引な営業、すぐに値下げする業者に
は注意したい。

他には？

あとは「レインズへの登録」「営業活動の報告」など、売却のための
活動をきちんとしているかどうかをチェックしておきたい。連絡の頻度や
コミュニケーションスキルも見ておくべきだね。

そっか……。でも、変な業者に引っかかって売買契約を結んじゃっ
たらもう終わりだよね？

一応、売買契約の「解除」が可能だ。「手付金の放棄」「違約金によ
る解除」によって解約できるけど、費用がかかるから売買契約は慎重に進
めたほうがいい。

そうなんだね。

そもそも売買契約は、売主と買主が対等の立場で契約するのが原則だ。そのため、契約締結後にトラブルが生じた場合、契約書の内容に基づいて処理することになる。だから、あらかじめ契約書の内容を精査しておこう。そのあたりの相談も親身になってしてくれるかどうか、不動産会社や担当者をチェックしておくといい。

売却前のリフォーム

🐱　最後に、ちょっとイレギュラーだけど、売却前のリフォームや賃貸中の物件に関する注意点も確認しておこう。

🧑　そういえば、売却時にリフォーム費用がかかることもあるんだったよね？

🐱　そうだね。なかなか売却できない場合はリフォームも検討することになる。よくあるのは、空室状態が続いていて十分に管理されていない物件などだね。

🧑　売却できないケースってどのくらいの期間なんだろう？

🐱　場合によっては、一年経っても売却できないことがあるよ。

🧑　一年以上！　それは厳しいね……。

🐱　立地やスペックによっては別に珍しくもない。だからリフォームを検討することになるわけ。リフォーム後に入居者が決まり、良い条件で売却できることもあるんだ。

🧑　なるほどね。リフォームは重要なんだ。

🐱　君だって、放ったらかしにされている物件より、綺麗にリフォームされた部屋の方がいいだろう？

🧑　もちろん！

🐱　だから、客付けや売却のためにリフォーム費用を支出することは、決して無駄ではないんだ。たとえば、80万円のリフォームをして家賃が5000円アップし、さらに売却価格も130万円上がった事例があるよ。

へえー。リフォーム費用を回収して、しかも入居者の獲得や売却につながったんだね。

そういうこと。ただし、いたずらにリフォーム費用をかかえるのは避けたいから、「選択と集中」が大事。具体的には、水回りと床など、評価に直結するところに手を入れたい。

なにかコツとかあったりするのかな？

水回りは普通に取り替えると300万円ぐらいかかる。でもコーティングなら50万円くらいで可能だ。また床も、フローリング工事だと数十万円〜100万円はかかるが、塩化ビニル樹脂製の木目調フロアタイルにすれば費用をかなり圧縮できる。

そのあたりのテクニックは大事だね。

リフォームで意識したいのは「清潔感」「明るい色」「好みが分かれないデザイン」の3つだ。その上で、次のようなリフォームを検討してみよう。

□ クロス交換（一部にアクセントクロスを推奨）

□ 床材の張替（フロアタイルにより耐久性向上と次回張替コスト削減）

□ 水回りのコーティングで新品同様（耐用年数が約１０年のためお得）

□ 水道蛇口、シャワーホース交換

□ 木枠等の塗装

□ スイッチ・コンセント等の交換

□ IHコンロ

□ エアコン

□ 玄関たたき張替

□ 照明の変更

□ リアテックシートによる建具改修

あとは予算との兼ね合いだね。なかなか売れそうになかったら検討してみるよ。

もしリフォームによって入居者を獲得できたら、それで売却がスムーズに進むこともある。いわゆる「オーナーチェンジ」の案件だね。念のため、空室の場合と比較しておこう。

	賃貸中のマンション	空室マンション
売却の対象	不動産投資家がメイン	不動産投資家、入居希望者両方にアプローチ可能
売却活動時の内覧	基本的にできない（入居者の了解があれば可能）	可能
売却までの費用（損失）	維持管理費がかかるが、家賃収入から支払可能	維持管理費がかかる

ほうほう。賃貸中のマンションは、主に不動産投資家に売却するわけだね。たしかに、入居者がいるなら家賃収入も確実だし。

　　そうだね。一応の収益計算が可能だ。利回りが見えれば、そこに飛びつく投資家もいる。もっとも、入居者がその後も定着するかどうかはわからないけど。

　　……ん？　ってことは、むしろサブリース契約がある物件の方がいいんじゃないの。家賃が保証されてるし。

　　いや、むしろ逆だね。家賃保証によって利回りが下がり、安く売却することになるケースが多い。事実、月額家賃が1万5000円違うだけで、売買価格が360万変わるケースもあるんだ。

　　げっ！　そうなの？？

　　数字で見ると明らかだ。利回りだけで書くにすると、次のような差が出るよ。

「①家賃保証 79,000 円」と「②相場賃料 94,000 円」を同じ利回り（5％）で売買した場合

① 79,000 × 12 ÷ 5％ = 18,960,000

② 94,000 × 12 ÷ 5％ = 22,560,000

①－② = ▲ 3,600,000

　　これはでかいね……。

だから、家賃保証がついていても高く売れる理由にはならないし、むしろ投資家から嫌われやすい。その点、サブリース契約を解約してから、本来の利回りで売り出す投資家もいるよ。

そうなんだ。いやいや、よく分かったよ。

ここまでが、主に売却についての説明になるよ。あとは実際に行動しながら、必要事項を確認していこう。とりあえずお疲れ様……。

気付けば夜——。

　こうして、丸二日間にわたるフクロウの講義が終了した。疲れ切ってはいたが、どこか充実感に満ちている自分がいた。

　こんなに充実した週末は久しぶりだった。

　それからぼくは、忙しい仕事の合間をぬって改善と売却のための行動を着実に進めていった。

　ぼくは度々フクロウに相談し、その度に彼は的確なアドバイスを与えてくれた。だから、何も恐れることなく行動できた。

　相変わらず、忙しい日々。

　それでも、どこか気分が前向きになる日々。

　やがて、ぼくの投資環境は好転していった。これもすべて、あのフクロウのおかげだ。

　でも、ぼくはまだ知らなかった。別れのときが、徐々に迫っていることを……。

エピローグ

別れ

エピローグ　別れ

　カーテンの隙間から差し込む朝日で、ぼくは目を覚ました。さわやかで、ほのかに暖かさを感じられる陽の光だった。

　ぐっすりと眠った。

　こんなに深く眠れたのは久しぶりのことだった。

　ぼくは起き上がり、カーテンを引いて窓を開けた。時計を見る。午前9時。休日にこんなにも早く起きたのはいつぶりのことだろう。

　外の風は気持ちが良かった。

　ぼくは目をつむり、その心地よさを全身で感じた。青々と茂る街路樹、鳥の声、それに穏やかで静かな日曜日の朝が、期待とともにはじまろうとしている。

　昨日の夜、不動産業者から電話があった。

　手続きは順調に進んでいるそう。所有していたマンションの1つは売却を進め、もう1つは改善をはじめている。状況は一気に好転した。

　これもすべて、フクロウのおかげだ。

「気持ちのいい朝だね」

　ぼくは押し入れに向かって声をかけた。わずかにうわずった、弾むような声。ぼくはちょっと笑った。

　返答はない。

「……まだ、寝ているのかい？」

　ぼくはそう言いながら、そっと押入れを開けた。そこには、きちんと畳まれた座布団と布団だけがあった。

「おい、フクロウ。どこにいるんだい？」

　ぼくは激しくなる鼓動を感じながら、座布団にふれた。そこにはまだ温もりがあった。布団をどけて、座布団をめくる

　そこには、一通の手紙があった。ぼくは夢中で読んだ。

「君はよくやった。いまの君があるのは、君自身が学び、行動した結果だ。君はもう、自分で未来を変えられる。だからぼくは行くよ。あの頃の君のように、不動産投資で悩み、苦しんでいる人のもとへ。さようなら」

　読み終えると、視界はわずかに霞んでいた。もう一度、声に出して読んでみた。それから、まだほのかに暖かい座布団に触れて、彼と過ごした数日を思い出そうとした。

　そのとき電話が鳴った。

「……もしもし、タカシ？」

　女性の声。相手はすぐにわかった。幼馴染のサオリだった。

「……もしもし」

「久しぶり。朝早くにごめんね」

「……ううん」

「どうしたのタカシ？　泣いてるの？」

「……いや、さっき起きたとこだから」

「そう……。ねえ、今日ちょっと会えない」

「今日？」

「うん。昔みたいに、また相談にのってもらいたくて」

　ぼくはちょっと考えるふりをしてから、迷うことなく「いいよ」と言った。その声は、どこか力強いような気がした。

「じゃあ、12時に駅前のファミレスで」

「わかった」

「……ねえ、タカシ」

「ん？」

「私……、彼と別れたの」

　サオリはそう言って電話を切った。ぼくは受話器を見つめたまま、しばらくそこに立ち尽くし、それから無意識に窓の方を見た。

　遠くの方で、茶色い背中が、徐々に遠ざかっていくような気がした。けれどそれは、希望に満ちた後ろ姿だった。

「ありがとう……」

　自分の未来は自分で変えられる。ぼくは、彼との思い出を胸に、新たな一歩を踏み出そうとしていた。

おわりに

　本書を最後までお読みいただき、誠にありがとうございました。

　不動産投資に関する書籍の多くは、どうしても難しい内容になりがちです。

　それも、普段の生活ではふれることのない情報ばかりなので、読み進められなかったり、内容がすぐには理解できなかったりするケースも少なくないかと思います。

　そこで本書では、架空の主人公を通じて、不動産投資とくにワンルームマンション投資について解説してきました。

　「不動産投資とは何か」「ワンルームマンション投資を成功させるにはどうすればいいか」などを、少しでもイメージでしていただけたら幸いです。

　さて、本書の主人公であるタカシくんは、不動産投資における"失敗"の状態にあったのですが、謎のフクロウのおかげで状況を変えることができました。

　すでにお読みいただいたように、所有していた物件のうち1戸を売却し、もう1戸の状況を改善することで、失敗の状態を解消していったのです。

　もちろん、その過程では不動産投資に関するさまざまな事柄を学んでいます。日々学習する中で、必要な知識を身につけていったことが、具体的な改善行動へとつながっています。

　どんな投資でもそうですが、初期段階での学習と実践、そしてさらなる勉強が必要となります。成功するために必須の知識がたくさんあることに加え、投資環境がどんどん変わっていくからです。

　投資に成功している人は必ず勉強をしています。

　書籍、セミナー、あるいは他の投資家からの情報収集など、たゆまぬ努力によって結果を出しているのです。

　世の中には、「楽して儲ける」といったうまい話はありません。あったとすれば、そこには必ず落とし穴があります。

　だからこそ、どれほど優雅に見える投資家も、その裏ではたぐいまれな努力をしているものです。

　やはり、努力を継続してこそ、成功は近づいてくるのです。

　本書を読んだあなたは、すでにその一歩を踏み出しています。

　ぜひ、本業が忙しいことを言い訳にせず、きちんと勉強していく姿勢をもち続けてください。

　そしてできれば、楽しみながら実践し、学び続けていきましょう。

　不動産投資は、正しく実践すれば、資産形成にもなりますし将来の安心材料にもなります。その点、不動産投資との出会い自体は素晴らしいものです。

　その出会いを無駄にしないためにも、ぜひ本書で学んだことを実践してみてください。

　タカシくんのように、現状を、そして人生を好転させていきましょう。

　何かわからないことがあれば、ぜひ私たちに相談してください。

私たちは、あのフクロウのように、いつでも正しい知識と方法論を提供するよう心がけています。

　本書が正しい不動産投資を実践するきっかけになったとしたら、著者としてこれほど嬉しいことはありません。

伊藤 幸弘（いとう ゆきひろ）

1979 年群馬県生まれ。2003 年投資用マンションの仲介会社に入社。
2014 年株式会社 TOCHU を設立。個人営業、通算契約件数 1000 件。
売買仲介の他に、多数のリフォーム提案と不動産投資コンサルティングを手掛ける。
個人でも投資物件を所有し、オーナーだからこそわかる資産シミュレーションを武器に活動。
LIXIL 不動産ショップ TOCHU は、首都圏の投資用マンションを中心に 15,000 件以上の取扱実績があり、不動産業者、金融機関との独自の取引ルートにより最新の売買動向をつかんでいる。"感じのいい営業" で、お客様へのお役立ちの精神を大切にしている。

＜資格＞ 宅地建物取引主任者・賃貸不動産経営管理士・FP 技能士・公認 不動産コンサルティングマスター・投資不動産取引士・競売不動産取扱主任者・日本不動産仲裁機構 ADR 調停人

マンション投資 IQ アップの法則 ～なんとなく投資用マンションを所有している君へ～

2023 年 9 月 21 日　初版第 1 刷　発行

著　　　者　　伊藤 幸弘
挿　　　画　　潤 咲良
発 行 人　　矢野 慎也
構　　　成　　山中勇樹
装 幀 等　　松本 えつを
協　　　力　　株式会社ワールド・コラボ・ジャパン

発　　　行　　CHICORA BOOKS（ちこらブックス）
　　　　　　　所在地：〒 160-0004 東京都新宿区四谷 1-7 装美ビル 2/3F
　　　　　　　株式会社 アンサング 内
　　　　　　　TEL：03-5315-4586（代表）　FAX：03-6866-8640
　　　　　　　e-mail：info@chicora-books.com

発　　　売　　サンクチュアリ出版
　　　　　　　所在地：〒 113-0023　東京都文京区向丘 2 丁目 14-9
　　　　　　　TEL：03-5834-2507　FAX：03-5834-2508
　　　　　　　URL：www.sanctuarybooks.jp

印刷・製本　　中央精版印刷株式会社